山海经动物图鉴.Ⅲ

金路 绘
兰心仪 编著

北京理工大学出版社
BEIJING INSTITUTE OF TECHNOLOGY PRESS

版权专有　侵权必究

图书在版编目（CIP）数据

奇兽：山海经动物图鉴. Ⅲ / 兰心仪编著；金路绘. -- 北京：北京理工大学出版社，2019.8（2019.10 重印）
ISBN 978-7-5682-7124-0

Ⅰ. ①奇… Ⅱ. ①兰… ②金… Ⅲ. ①历史地理－中国－古代②《山海经》－图集 Ⅳ. ① K928.631-64

中国版本图书馆 CIP 数据核字（2019）第 114163 号

出版发行 /	北京理工大学出版社有限责任公司
社　　址 /	北京市海淀区中关村南大街 5 号
邮　　编 /	100081
电　　话 /	（010）68914775（总编室）
	（010）82562903（教材售后服务热线）
	（010）68948351（其他图书服务热线）
网　　址 /	http://www.bitpress.com.cn
经　　销 /	全国各地新华书店
印　　刷 /	雅迪云印（天津）科技有限公司
开　　本 /	710 毫米 ×1000 毫米　1/16
印　　张 /	12.75
字　　数 /	97 千字
版　　次 /	2019 年 8 月第 1 版　2019 年 10 月第 2 次印刷
定　　价 /	96.00 元

责任编辑 / 马永祥
文案编辑 / 马永祥
责任校对 / 周瑞红
责任印制 / 李志强

图书出现印装质量问题，请拨打售后服务热线，本社负责调换

导读

对我们这代人来说，《山海经》是一本既熟悉又陌生的书。我们的童年大多是在各种各样的动漫、影视和游戏作品之中度过的，因此怪兽、神禽于我们而言并不陌生，无论是动画还是游戏，总会零星出现几个名称怪异的动物，当然，最具代表性的就是龙、凤、麒麟、白虎和玄武了。

使用这些怪兽形象的，有许多并非国内的创作者，其作品的背景设计也不都是远古时代或"中国风"很浓重的世界。这些怪兽形象既有科幻背景的机甲造型，也有奇幻世界的拼接动物，但总能带给我们别样的感官享受。可惜的是，这些作品对《山海经》的使用往往是选取几个最具代表性的怪兽，例如食人的怪物穷奇、饕餮等，我们在观看的时候，也只有这个怪兽很酷很厉害的印象，而不会对它所在的世界怎样、环境如何、与什么动物共存一类的问题有所联想。

《山海经》记载的本身就是一个独立而完备的幻想世界，袁珂先生曾说："吾国古籍，环伟瑰奇之最者，莫《山海经》若。《山海经》匪特史地之权舆，乃亦神话之渊府。"虽然历代学者都承认《山海经》为研究古代社会提供了多方面的资料，但也有人认为其中记录的怪兽和神鬼是怪诞不经、无法被证实的。然而正是这份荒诞不经为我们打开了想象之门，让这个神话世界充满了奇思妙想，生动而鲜活。

近年来开始流行"宇宙"世界观的概念，无论是迪士尼的动画片，还是漫威的漫改电影，都在试着将一个个单独的完整的作品串联起来，形成一个庞大的自成体系的宇宙，前作的每一个人物都生活在其中，虽然有可能不曾见面，却在生活的许多细节上相互关联，就像生活在城市两端的人，虽然陌生，但也可能每天都在同一个公交站擦肩而过。

2018年上映的电影《神奇动物在哪里2》中出现了一个中国神兽驺吾，其源头便是《山海经》。当然，这不是《山海经》里的动物第一次在好莱坞大片中亮相，但这些让人惊艳的片段还是向我们透露出一个信息：这些动物基本上与自己的文化背景割裂，变成了炫耀电影特效的一个符号。比如我们提到西方的龙，立即能联想到它们住在阴森的山洞里，守着闪闪发亮的金币和珠宝，会喷火，还会突袭城堡，捉走公主。有了这些基础认知，便会欣赏各种各样的颠覆性改编，比如《驯龙高手》系列。而我们引以为傲的东方龙，我们却说不出它们爱吃什么，住在什么样的地方，有什么样的性格和偏好，因此我们眼中所见只有抽象的形态，而无生动的故事。想想迪士尼动画电影《花木兰》中的木须龙，它是花家的家神，个性张扬却怕事，绝非我们传统的龙神形象，可是看完电影，这条红色的小龙却能给人留下非常深刻的印象。

正因为这样，我们筹备这套书时的设想，就是在《山海经》描画的世界里，像拍纪录片一样，用《动物世界》似的镜头，横扫过一座座山川，寻找到隐藏在山间的动物，用想象力呈现出它们的形态，补上栖息环境和生活习性，依照古籍所记录的山水顺序，让幻想乡中的自然风貌一览无余。

当然，我们也遇到了很多问题。比如《山海经》里有许多人面兽身的山神，或者具有非凡的神力、被各种形式的作品改编创作过的神兽，我们很难把它们纳入奇兽的体系，因为我们更希望展现一个介于真实和幻想之间的世界，那个世界里也有老虎和狼这样现实存在的动物，而长得奇形怪状的那些野兽在这个世界里就如虎狼一般常见，仿佛真实存在过一样。我们希望读者在翻看《奇兽》这一系列书籍时，就像在幻想世界里探险之前阅读一本野外生存手册一样。

　　为了体现"科学性"，我们把所有的动物做了分类。不同于现代动物学上纲目科属的分类，我们借用了古代的五虫纲思想。《大戴礼记》中有"毛羽昆鳞蠃"五虫，分别代表五类动物。毛虫就是身上被毛的动物，以麒麟为首领；羽虫就是有翅膀、带羽毛的鸟类，以凤凰为首领；昆虫是指带甲壳的动物，除了今天我们熟悉的节肢动物，贝类、螃蟹等水生动物也属于此类，以玄龟为首领；鳞虫便是身上带鳞的动物，包括鱼类和蛇；而蠃虫也称为裸虫，指的是既没有毛也没有鳞，裸露着皮肤的动物，包括青蛙、蚯蚓等等，我们人也属于蠃虫。

　　除了这五虫以外，在《西游记》中，如来佛祖曾说："周天之内有五仙，乃天地神人鬼；有五虫，乃蠃鳞毛羽昆……又有四猴混世，不入十类之种。"加上孙悟空大闹地府的时候，一口气从生死簿上把猴类的名字都给划了，让猴子成了神话中别样的门类，志怪小说和民间传说中都常见到它们的身影。因此我们把这些神通广大的猴子也单独分了一类，称为禺。

　　用图画的方式呈现书中描写的动物，虽说有文字依据，却也不能完全照搬。而有的动物现今也存在，例如虎、豹、犀牛等等，它们在原文中不过出现一个名字。但我们有时也会思索，会不会同样的动物，有古今的差异？也许差别不在外形上，而在习性上。在"纪实"的基础上，更要发挥想象，而想象又要合理，其实这不是一件容易的事。

比如人们非常熟悉的九尾狐，在《山海经》里，它还没有那么多神怪，只是四足九尾的大狐狸，凶猛食人。但在后来的《玄中记》中，对狐狸如何修炼进化做了详细的描写，所以我们也采纳了这种补充，令九尾狐的描述更加完善。

《山海经》的世界繁复庞杂，无数形貌奇异的神灵、怪兽、异禽以及神话传说交织在一起，我们这套书很难囊括全部。我们从动物的角度出发，以南山经、西山经、中山经、北山经及东山经这五大山经为基础，选取了172种动物，或是现今仍见，或是玄奇无稽，都以好奇探秘的心态去解构与重构它们，由此形成了这套《奇兽》系列，构建起一个亦真亦幻的奇妙动物世界。

由于《山海经》的版本很多，注释纷繁，各家各派都有独特的看法，于是在不同的版本中，这些奇兽的名字、读音甚至长相都有差异。比如㶌次山上的一种猴子，在一些版本中写作"嚻"，而在另一些版本里则写作"𤢖"，二者的读音也截然不同。为此，我们不得不挑选出一个版本作为标准，将中华书局于2009年出版的"中华经典藏书"系列中的《山海经》作为依照底本，其中没有提到的注音则参考袁珂先生注释的《山海经校注》（上海古籍出版社，1980年第一版）。在具体动物的注音、写法以及原型动物等方面，我们始终秉持着和而不同的观念，接纳多种意见，并希望能将这套书籍做得生动有趣。

目 录

鳞门
- 鲑 001
- 鳖鱼 004
- 蛊雕 008
- 虎蛟 012
- 鮨鱼 016

臝门
- 赤鱬 020

昆门
- 旋龟 024
- 狸力 028
- 肥蠃 032
- 鲜鱼 036
- 白蛇 040

羽门
- 鹧鸺 042
- 灌灌 046
- 鹌 048
- 瞿如 052
- 颙 056
- 蛊渠 060
- 赤鷩 062

目 录

羽门

鸱	肥遗	橐蜚	尸鸠	白翰	栎	数斯
066	070	072	076	078	080	084

鹦鹉	鹛	凫溪
088	092	096

毛门

鹿蜀	类	猾𧳏	九尾狐	彘	㸤	犀
100	104	108	112	116	120	124

目录

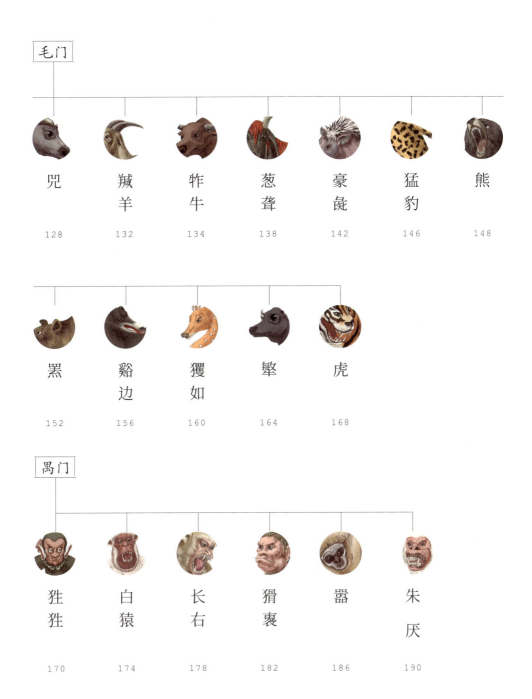

毛门

| 兕 | 羬羊 | 炸牛 | 葱聋 | 豪彘 | 猛豹 | 熊 |
| 128 | 132 | 134 | 138 | 142 | 146 | 148 |

| 羆 | 谿边 | 玃如 | 犛 | 虎 |
| 152 | 156 | 160 | 164 | 168 |

禺门

| 狌狌 | 白猿 | 长右 | 猾褢 | 嚣 | 朱厌 |
| 170 | 174 | 178 | 182 | 186 | 190 |

山海经动物图鉴

鯥

[lù]

鳞门 × 摩羯纲 × 牛形目 × 鳍足科 × 鯥属

又东三百里，曰柢山。多水，无草木。有鱼焉，其状如牛，陵居，蛇尾有翼，其羽在魼下，其音如留牛，其名曰鯥，冬死而夏生。食之无肿疾。

——《山海经·南山经》

| 鲑全身骨骼图

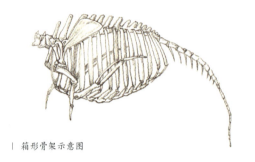

| 箱形骨架示意图

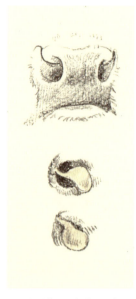

| 入水时鼻孔闭合过程示意图

| 形态特征

鲑是一种摩羯纲动物。所谓摩羯纲，就是各种毛门动物或者羽门动物的前半身与鱼类的后半身相结合的一种既像"神兽"又似"怪物"的动物。其中最为著名的有北海中的斗牛与狌鱼，以及西海中的羊形摩羯。斗牛和狌鱼都能引起海上的天气变化，造成狂风暴雨和电闪雷鸣，因而受到人们的供奉和崇拜。不过，鲑并没有这么神奇的能力，它的特异之处是坚硬的骨骼与肋下伸出的一对翅膀。

鲑的骨架呈箱形，皮肤与鳞片附在其外，显得它体型庞大。为了下水捕食，鲑的鼻孔具有特殊构造，在入水后可以闭合起来。而它的翅膀也具备极强的防水性能，在水下甚至能够帮助它游动。由于鲑的骨骼密度偏大，会对飞行产生一定的影响，因此它仅能飞离地面数尺，滑翔一段距离。所以，鲑虽然长着翅膀，却不能进行长途迁徙。

| 栖息环境

鲑主要靠肺呼吸，多数时间栖息在柢山下的丘陵地带，穴居，但不会自己挖洞。柢山上不长草木，但水网密布，岸边分布着许多天然岩洞，对鲑而言是绝佳的住所。它们对于洞穴的要求就是要尽量地临近水边，以便觅食。

| 鲑角牴示意图

| 鲑滑翔轨迹与翅膀运动轨迹示意图

| 生活习性

鲑是肉食动物，依靠捕捉游鱼和贝类为生。捕食时间一般是晚上，在月光下，经常能听见它们发出的叫声。声音低沉浑厚，像是犁牛的低吼。

鲑是独居动物，具有极强的领地意识。如果发现有入侵者进入了自己的洞穴，鲑会立即摆出战斗姿态，并用头上的角去顶撞入侵者，直到对方退出其领地。在求偶时，雄性的鲑也会通过角牴战斗的方式吸引雌性。

鲑的冬眠期比较长，水面开始结冰时，它们会钻进自己的洞穴中，封住洞口，同时分泌出一种黏液包裹身体，外部再裹上泥土，使得自己能够始终处于湿润的环境之中。直到次年惊蛰，它们才会伴随春雷和春雨醒来，戳破自己的保护膜，离开洞穴，成群结队顺着河水逆流而上，去往柢山山腰位置进行交配和繁衍。

山海经动物图鉴

鳞门
×
辐鳍鱼纲
×
鲱形目
×
鯷科
×
鯷属

鮆

[cǐ]

鱼

[yú]

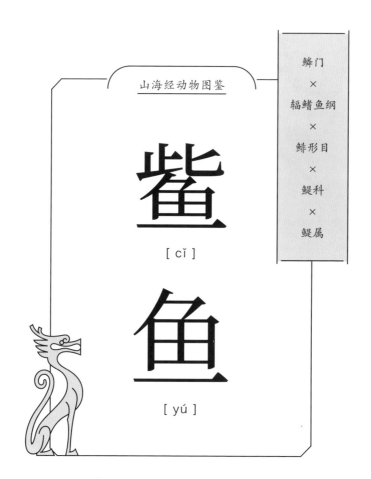

又东五百里，曰浮玉之山，北望具区，东望诸毗……苕水出于其阴，北流注于具区。其中多鮆鱼。

——《山海经·南山经》

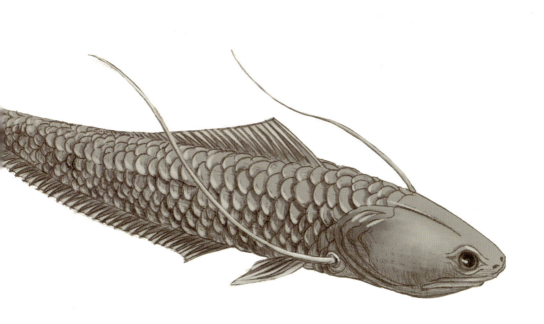

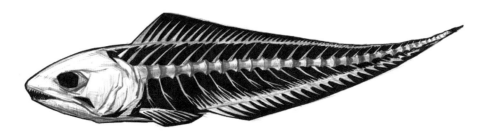

| 鲎鱼骨骼图

| 形态特征

鲎鱼体形狭长,一般有一尺左右,从头向尾部逐渐变细,整个身躯像一把出鞘的尖刀;鳞片呈银灰色,带有金属光泽;有两条长须,长度约有体长的一半;尾鳍从身下向头部延展,占体长的三分之二。鲎鱼的肉质非常细嫩,但多细毛状骨刺。

| 栖息环境

鲎鱼能适应咸水和淡水两种水域环境,有季节性洄游行为。具区湖中的鲎鱼会在繁殖时节游入苕水中。

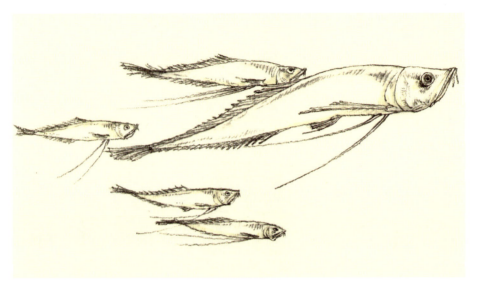

| 鲎鱼带幼鱼图

| 生活习性

它们以小鱼、虾米和藻类为食,主要生活在水流较缓的水底,接近泥沙来方便觅食。

到初春时节,它们会成群结队地逆流而上,进入苕水中上游的位置,寻找水质清凉,流速较缓的地方产卵。谷雨前后,鱼苗孵化,跟随母亲取食,直到次年春分,再集体跟随母亲顺流而下,游入食物更丰富,也更具危险的具区湖。

山海经动物图鉴

蛊
[gǔ]

雕
[diāo]

鳞门 × 摩羯纲 × 鸟形目 × 戴角科 × 蛊雕属

又东五百里,曰鹿吴之山,上无草木,多金石。泽更之水出焉,而南流注于滂水。水有兽焉,名曰蛊雕,其状如雕而有角,其音如婴儿之音,是食人。

——《山海经·南山经》

| 蛊雕全身骨骼图

| 形态特征

蛊雕属于摩羯纲,前半身是鱼鹰的形貌,后半身则为鱼类。从颈部下方开始,由羽毛过渡到鳞片,胸前伸出单片鱼鳍。蛊雕的身体结构和鲢非常像,从胸鳍上方的肩胛骨上长出分支,形成翅膀的骨骼。而头骨上有两个骨枝凸起,外面套着一层螺旋状角质,内部中空。

蛊雕身体笨重,头部偏小,双翼展开的长度超过身长,肌肉强劲有力,爆发力很强。蛊雕的翅膀收起来的时候紧贴身体两侧,羽毛与鳞片同色,有防水功能,能和鱼身融为一体。蛊雕飞行能力较强,但没有脚,不能在岸上停留,而且身体必须保持湿润,所以不会离开水域太远。

| 栖息环境

蛊雕生活在鹿吴山下的泽更水中,该区域植被稀少,但矿产丰富,因此泽更水里富含多种矿物质,水中多玉石。蛊雕偏好碱性水域,喜好有水草遮蔽的河水,会刻意躲避直射的阳光。

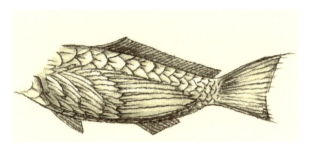

| 蛊雕收翅图

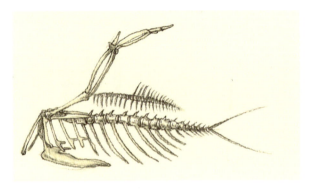

| 身体骨架与翅膀骨骼连接示意图

| 生活习性

蛊雕为肉食动物，平时会捕食水中的鱼类和贝类，和鲑一样在夜间捕食。它们的叫声音调较高，尾音扬起，像是婴儿啼哭。蛊雕一般不会攻击人类或相对大型的动物，但在食物比较匮乏的季节，它们会长时间潜伏在河岸边的草丛或河床上的细沙里，一旦有人或动物路过，就飞扑上去，攻击猎物最脆弱的部位，一击致命。成功之后，它们不会立即享用猎物，而是将沉重的猎物拖进水中藏匿起来，作为粮食储备。

蛊雕只有到了冬眠时才开始寻找合适的洞穴，其余时间只寻找草木茂密的岩石缝隙栖身。在冬眠时，它们会先在洞穴里贮存好一部分食物，然后进入洞穴，封好洞口，用水草和翅膀裹住身体，进行冬眠。

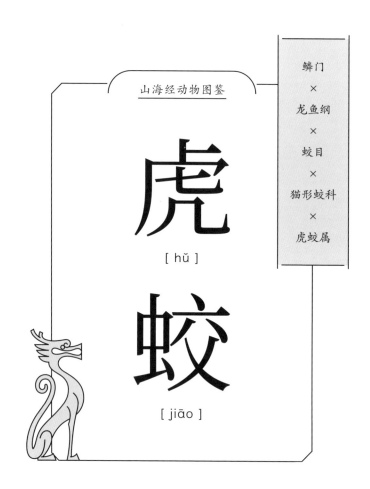

山海经动物图鉴

鳞门
×
龙鱼纲
×
蛟目
×
猫形蛟科
×
虎蛟属

虎
[hǔ]

蛟
[jiāo]

东五百里,曰祷过之山,其上多金玉,其下多犀、兕,多象……浪水出焉,而南流注于海。其中有虎蛟,其状鱼身而蛇尾,其音如鸳鸯,食者不肿,可以已痔。

——《山海经·南山经》

| 虎蛟骨骼图

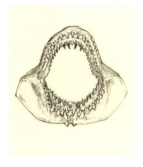

| 虎蛟的多层牙齿

| 形态特征

虎蛟体型庞大，身长接近一般虎豹的两倍，头颅硕大，身体粗圆，到尾部骤然缩小，拖出一条细长的尾巴，到尾鳍处才平铺开来。虎蛟的头部近似狮子，毛发蜷曲且厚，拥有一口利齿，错落排列为三层。很多人误认为这是一种摩羯纲生物，但其实它仅有头部与陆地上的猫科动物相似，头部以下还保留着鱼类的构造。

虎蛟是一种处在水生动物向陆生动物过渡阶段的神奇生物，许多动物进化需要上千年的时光，但在它们身上，这个过程明显加快。它们的胸鳍和腹鳍之中已经出现了硬化分节的骨骼，也就是四肢和爪子的雏形。它们还保留了两套呼吸系统，虽然可以探出水面呼吸，但由于捕食习性，很少到水面上去。

| 栖息环境

虎蛟生活在浪水中——浪水和南海相通，河宽水深，有茂密的水草和多种多样的水生动物。水中的泥沙含量比较高，水质浑浊，而虎蛟会选择水温低的深水区域捕猎。它们对氧气含量要求高，一旦水底升温，它们就会大幅上浮。

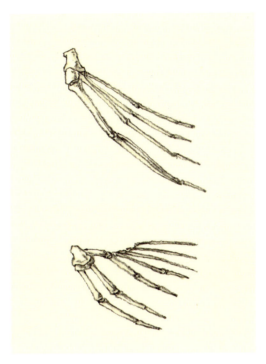

| 虎蛟胸鳍（上）和腹鳍（下）的骨骼构造

| 生活习性

虎蛟为淡水生物，卵生，孵化初期生活在浪水底部，单独生活，不依靠父母的哺育。它们的牙齿十分锋利，可以捕捉大型鱼类，且食量很大，一次可以吞上百斤，在水底世界所向披靡。

虎蛟有洄游行为，在浪水中长到一定体型后就向南海迁徙，跟随本能游往龙门的方向。谚语中有"鲤鱼跳龙门"的说法，但实际上，会去"跳龙门"的却不局限于鲤鱼一种。虎蛟本身就有龙的血统，一旦跃过龙门，就能完成进化，脱去满身的鱼鳞和水生动物的构造，变成龙之九子之一的狻猊。而未能成功完成这一进化过程的虎蛟，则会从南海游回浪水，经过一段时间后登岸。这时，它们会脱离水生动物的行列，长出四肢和毛发，成为一种与狻猊相似的凶猛兽类——青狮。因为虎蛟成年之后都会离开水域，所以有没有人知道最初在浪水中留下卵的是何种生物。目前，这种生物进化和繁衍的闭环还不清晰。

山海经动物图鉴

鲀鱼

[tuán]

[yú]

鳞门
×
辐鳍鱼纲
×
鲤形目
×
鲤科
×
刺鳞属

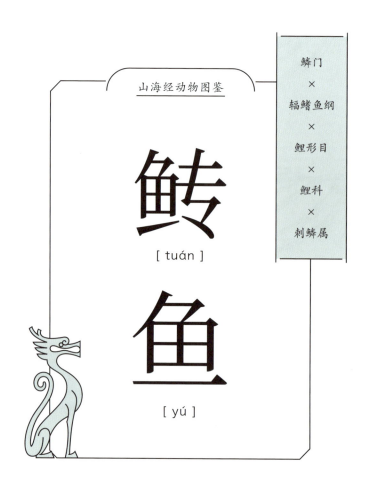

又东五百里,曰鸡山,其上多金,其下多丹雘。黑水出焉,而南流注于海。其中有鲀鱼,其状如鲋而彘毛,其音如豚,见则天下大旱。
——《山海经·南山经》

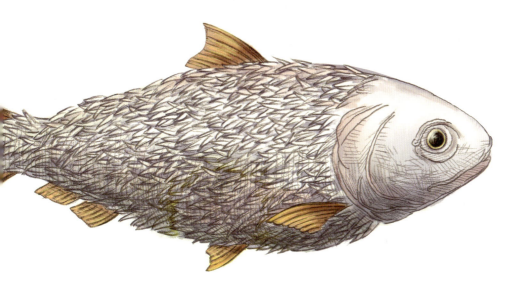

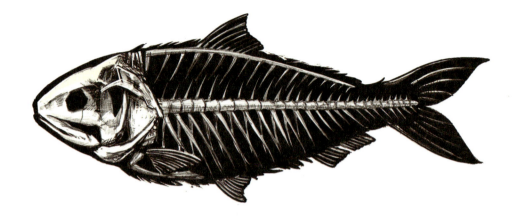

| 鲆鱼骨骼图

| 形态特征

鲆鱼是亮银色的鱼类，体型小，身长约与一个成人的手掌长度一致，其头部短小，吻部钝圆，身体较扁。由于它们的牙齿细小，无攻击性，为了避免成为大型鱼类捕食的对象，它们全身进化出了非常锋利的刺状鳞，在遇到危险时，可以使其张开，变成一身的尖锐盔甲。

这种鱼的鳔能够迅速扩张和收缩，通过一些纤细、狭长的肌肉与脊柱相连，这些延伸的肌肉，作用与琴弦相似，其收缩过程会引起鳔壁和鳔内的气体振动，发出响亮的声音。鲆鱼的叫声类似于小猪的哼唧声，但尖锐短促。

| 栖息环境

鲆鱼只能在淡水中生存，喜好清澈、温暖、水草丰富的河流，但一般只在中下层游动，较少到水面上去。发源于鸡山的黑水中有许多鲆鱼，黑水下游连着南海，但它们只在中上游出现，不会到河流下游。

| 普通鱼鳞（上）与鲃鱼刺鳞（下）对比图

| 鲃鱼鱼鳔

| 生活习性

鲃鱼为杂食性鱼类，食物包括水藻、水草、蚯蚓、小虾和水生昆虫等，菱角、荷花等植物的根茎、嫩芽等也是它们的美食。在不同的季节，它们的采食习惯有明显的差异：春秋季为采食旺季，昼夜均在不断采食；夏季采食时间为早、晚和夜间；冬季则只在中午前后采食。

鲃鱼往往择食而居，哪里的食物丰富，就在哪里停留。群居，单个群体的数量可达二三百只，没有固定的产卵场所，到了春季就会繁衍。

一般情况下，鲃鱼的一生都在水中度过。但如果水域干涸或食物极度紧缺，它们也会铤而走险，上岸寻找出路。一旦来到陆地上，它们的刺状鳞片就会蓬起，起到保护身体和锁水的作用。它们依靠鳍缓慢移动，而身体里那个帮助它们发声的重要气囊，在上岸后会转变成储存水的器官，帮助它们循环呼吸并保持湿润。

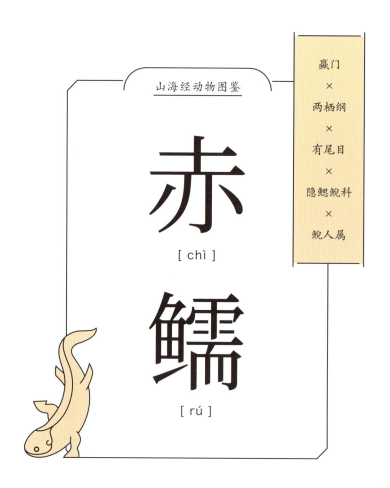

山海经动物图鉴

赢门 × 两栖纲 × 有尾目 × 隐鳃鲵科 × 鲵人属

赤鱬
[chì]
[rú]

又东三百里，曰青丘之山，其阳多玉，其阴多青䨋……英水出焉，南流注于即翼之泽。其中多赤鱬，其状如鱼而人面，其音如鸳鸯，食之不疥。
——《山海经·南山经》

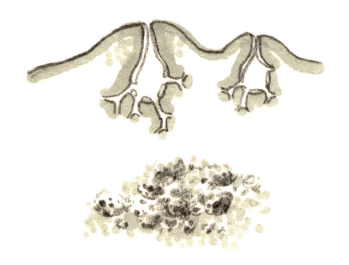

| 赤鱬皮肤表面的腺体颗粒

| 形态特征

赤鱬是一种体型庞大的两栖动物,体长最高可达一丈多,体重接近一个成年男子。赤鱬的头部硕大,头宽大于头长,吻部圆润。从头部到尾端,它的身躯不断收紧,尾巴细长,整体呈现琵琶的形状。赤鱬四肢短小,由于四肢位置比较靠后,难以负担沉重的头部。因此赤鱬很少离开溪流,只是偶尔爬到露出水面的石头上休憩。

赤鱬没有鳞片,皮肤上有黏膜和腺体颗粒覆盖,需要时刻保持湿润;身上有许多花纹,尤其集中在头部;头部扁平,其纹理结构酷似人脸。由于肺发育不完善,所以赤鱬像青蛙一样,需要借助湿润的皮肤来进行气体交换,辅助呼吸。

赤鱬的脚掌有蹼,脚趾下方有像壁虎一样的衬垫,可以稳稳地在水底爬行,不会受到水流的影响。赤鱬的视力非常弱,主要依靠皮肤感受水压和水流方向。如果受到刺激,皮肤上的腺体就会分泌带有麻痹作用的黏液,帮助它逃脱。

| 栖息环境

青丘山的山脚处,英水从这里流过。英水水流湍急,水质清凉,两岸绿树成荫,河岸的缓坡上有许多清浅、阴凉的滩涂,赤鱬一般在其中打洞居住,或者在倒伏的树根、树干里筑巢。它们会用尾巴扫起细沙铺在洞穴内,保持居住环境的洁净。赤鱬是人鱼的一个亚种,在许多地方都有分布,例如竹山下的丹水。

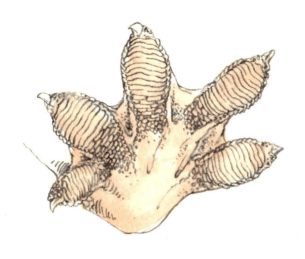

| 赤鱬足底细节图

| 生活习性

赤鱬是独居动物，而且具有领地意识，除了每年六月间的繁殖季节外，不会和其他个体见面。在求偶季节，雄性赤鱬会清理和装饰自己的洞穴，然后守在洞口，翘起头部，发出鸳鸯似的叫声，以吸引雌性的注意。

赤鱬一般在夜晚活动，白天都守在洞穴中，面向洞口，便于随时行动，捕获经过洞口的猎物。捕猎时，赤鱬会采取埋伏等待的策略，在猎物不防备的时候迅速出击，一口吞下猎物，再慢慢消化。

赤鱬的寿命很长，且新陈代谢缓慢，因此在缺乏食物的情况下，可以长时间不进食。成年赤鱬的攻击性较强，除了捕食水生昆虫和小鱼以外，有时候还能抓到路过的小型水鸟，但是幼年赤鱬却很容易成为水鸟的捕食对象。雌性赤鱬不会抚养幼崽，在单亲照顾之下，幼崽的死亡率非常高。九尾狐族群会刻意收集赤鱬分泌的黏液制作药物，有时这两种动物会形成奇异的互惠关系，在抚育幼崽期间，赤鱬会聚集到一起，接受九尾狐的饲养。

山海经动物图鉴

旋龟
[xuán]
[guī]

昆门 × 爬行纲 × 龟鳖目 × 玄龟科 × 旋龟属

又东三百七十里，曰杻阳之山，其阳多赤金。其阴多白金……怪水出焉，而东流注入宪翼之水。其中多玄龟，其状如龟而鸟首虺尾，其名曰旋龟，其音如判木，佩之不聋，可以为底。

——《山海经·南山经》

| 旋龟全身骨骼图

| 形态特征

旋龟长相奇特，集鸟头、龟身、蛇尾于一体，有种拼凑而成的感觉。旋龟的头部会随着年龄的变化出现相应的进化现象，从雀鸟一般的头部骨骼，缓慢地向鹰隼的头部骨骼变形。旋龟的头部比较粗大，不能完全缩入壳中，脖颈较长，而且关节灵活，使得头部可以进行360°旋转。旋龟的头颈之间长有红色羽毛，类似于雉鸡等羽门动物。

旋龟的背甲非常厚重、坚硬，由36片大小不一的规则六角形甲壳拼接而成，每一片上都有回形纹；背甲整体呈青灰色，非常像水下的礁石。它们的腹甲比较小，几乎无法起到保护作用。旋龟的四肢短粗，肌肉有力，适宜爬行。旋龟的尾巴具有响尾蛇的特点，末端有一串角质环，这是多次蜕皮留下的残存物。它们可以通过角质环的振动和形态吸引猎物或吓跑敌人。

| 栖息环境

旋龟的主要栖息在杻阳山下怪水与宪翼水的交汇处，平时生活在岸边，觅食的时候会进入水中。每年寒冬"三九"至次年的"七九"属于浅冬眠期，它们会降低活动频率，并生活在水下。

| 旋龟在泥沙中产卵

| 旋龟的食物

| 旋龟头部发育过程图

| 旋龟尾部角质环

| 生活习性

旋龟是一种爬行动物，同时也是肉食动物，但在食物匮乏的情况下，也会食用水草等植物。旋龟通常独居，领地感不强，捕食时会将自己伪装成水下的礁石，通过摇动尾部的角质环吸引小鱼，然后迅速捕食。

每年辰星起，南斗渐渐变亮时，旋龟会进入交配与繁殖季节。卵生。蛋会被雌龟埋在怪水源头的泥沙之中，度过整个冬天。二月初二，雷声响起后，旋龟的幼崽会破壳而出，顺流而下到怪水与宪翼水的交汇处，重复上一代的生活。

山海经动物图鉴

昆门 × 爬行纲 × 锐甲目 × 禽足科 × 狸力属

狸力

[lí]

[lì]

南次二山之首，曰柜山，西临流黄，北望诸毗，东望长右。英水出焉，西南流注于赤水，其中多白玉，多丹粟。有兽焉，其状如豚，有距，其音如狗吠，其名曰狸力，见则其县多土功。

——《山海经·南山经》

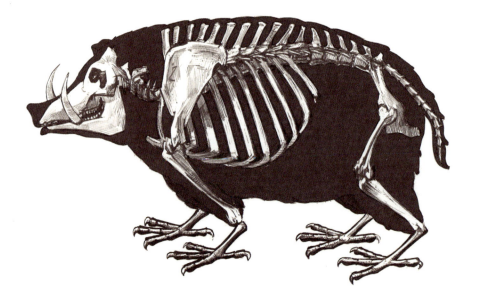

| 狸力全身骨骼图

| 形态特征

狸力体形滚圆短小,除了面部和四足外,均被角质化的鳞片覆盖;鳞片多呈树叶状,尖端有小刺,表面比较光滑,以瓦状分布,可以隔绝水分和沙尘。它们的视力已经退化殆尽,嗅觉异常灵敏,而且具有通过嗅觉感知空间的能力。由于眼睛退化,它们长出了和蛇类相似的热感器官,能通过感知红外线形成热成像视觉,辅助它们躲避天敌。

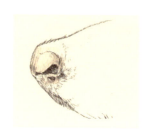

| 狸力的热感器官:鼻子

狸力的吻部有从下向上生长的獠牙伸出,而且会不断生长,因而给狸力的行动造成了些许不便,但这是它们用来彰显武力的工具,主要用于恐吓对手,而非实用。狸力的四肢虽然短小,但挖刨能力很强,指爪锐利,能在坚硬的岩石上留下深刻的抓痕。

| 猪脚骨（左）与狸力脚骨（右）对比图

| 狸力头骨图

| 狸力的幼崽

| 栖息环境

狸力居住在柜山山麓的丘陵和山谷地带，世代在地洞中生活。它们在地下构筑了四通八达的隧道网络。狸力还会折断地下的植物根茎，堆到一起作为休憩的小窝，避免地下潮湿的土壤。

| 生活习性

狸力主要以地下的昆虫及其幼虫为食，大部分时间都在掘土，极少到地面上来。它们不习惯被阳光照射，会下意识躲避光亮。狸力是大族群的独居动物，保持着松散的家族组织联系，每一只都生活在地下的隧道网络中，并不断地扩建。狸力两两之间并没有亲密的联系，如果在隧道中狭路相逢，很有可能会各自转换方向挖掘。狸力的叫声十分尖锐，穿透力很强。

狸力每隔两三年进行一次繁殖活动，并结成一夫一妻的家庭模式，共同哺育幼崽。一般一窝生3~4只，幼崽出生时全身光滑无毛，完全没有视觉，几个月后身上才会慢慢形成角质层，出现鳞片的雏形。

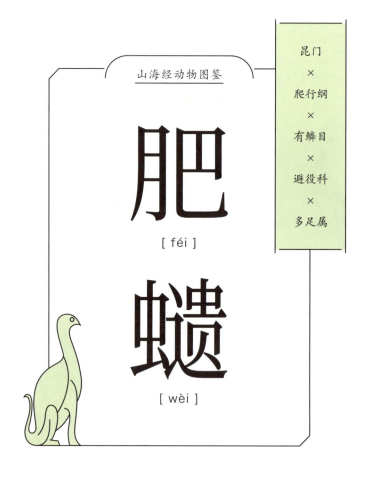

山海经动物图鉴

昆门 × 爬行纲 × 有鳞目 × 避役科 × 多足属

肥
[féi]

蝝
[wèi]

又西六十里,曰太华之山,削成而四方,其高五千仞,其广十里,鸟兽莫居。有蛇焉,名曰肥蝝,六足四翼,见则天下大旱。

——《山海经·西山经》

| 肥蠔骨骼图

| 形态特征

肥蠔全长一丈有余，重数十斤，头呈宽阔的三角形，与颈区分明显，吻部较短、圆。头背的小鳞起棱，鼻孔大，位于吻部上端。体背呈青绿色，具有缠绕似的火焰形斑纹，每一处火焰纹的底部为浅黄色和橙色，尖端为红色，不规则地分布在身躯各处。腹部则为灰白色，散布粗大的深绿色斑。

肥蠔头部的隆起内部有一个巨大的毒腺。在头部后两寸左右的位置有一对前脚，在尾部靠近泄殖孔的位置有一对后脚，而两者中间还有一对辅助足。辅助足到前脚的距离是到后脚距离的一半。两对翅膀恰好各自分布在三对足划分的两段距离的正中间。足分五趾，指腹皮肤有褶皱，能够吸附在岩石表面或攀附在树梢上。

| 栖息环境

太华山呈四方形，四面如斧劈刀削一般，高五千仞，宽达十里，普通的禽鸟野兽都无法在此栖身。只有肥蠔喜好这里干燥炎热的环境。山上只有低矮的灌木，满地碎石和砂土，偶尔可见几节干枯的树枝从悬崖峭壁上探出来。

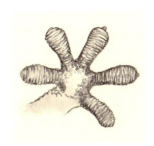

| 肥蟾脚掌特写图

| 肥蟾的毒腺

| 枯叶上显现的体色

| 生活习性

肥蟾的身体构造比较奇怪，翅膀并无太大用处，不能用于飞行，只可以在它从高处落下的时候,起到缓冲和滑翔的作用。脚也不常用，只偶尔在攀爬险峻地形时才会用到，但如果真的遇到生死攸关的时刻，它们也会轮流使用这三对肢体，以便快速逃生。

肥蟾以小动物为食，如沙鼠、蜥蜴、禽鸟等；一般隐藏在植物丛中守株待兔，当猎物经过时猛地出击，或直接吞下猎物，或用毒牙注射毒素后再吞下。

它们可以守在一个地点很久，身上的青绿色能帮它们完美地隐藏在树叶间或苔藓上。只有到了干旱季节，植物枯萎时，才容易被人发现。

山海经动物图鉴

昆门 × 爬行纲 × 龟鳖目 × 鳖科 × 鳍尾属

鮯
[bàng]

鱼
[yú]

又西七十里，曰英山。其上多杻檀，其阴多铁，其阳多赤金。禺水出焉，北流注于招水，其中多鮯鱼，其状如鳖，其音如羊。

——《山海经·西山经》

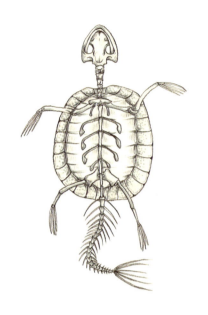

| 鲜鱼全身骨骼图

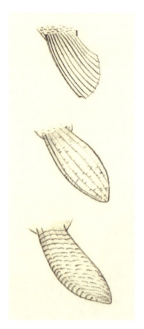

| 鲜鱼的鱼鳍变形过程图

| 形态特征

鲜鱼为淡水龟鳖类中体形最大的一种，体长丈余，重约千斤，最大的体长可超过一个大人国成年男子的身高。头部似蛙，口裂很大，双眼微微鼓起，头顶和面部还有深色花纹。背、腹两面由骨板包裹，左右两侧开口，形成一副特别的"铠甲"，上面虽然有类似甲片的纹路，实际上是包覆骨骼的柔软皮肤。鲜鱼的背脊凸起，有一列骨刺长出，外部同样包着皮肤，形成背鳍。一对前肢呈弓状，有角质层呈现环状包覆，这是鱼鳍的变形，内部没有指爪骨骼。鲜鱼的尾部突然收紧，变为鱼类的尾巴，尾鳍宽大，摆动起来十分有力。

鲜鱼可在水里和陆上生活，但不能离水太久。前肢的变异能帮助它在河岸上爬行，但速度非常慢。它们没有耳朵，全凭眼睛获取信息。雌性鲜鱼的体积一般比雄性大，甚至可以相差一倍以上。鲜鱼是一种通过口器排泄体内废物的动物。在水中时，水面上常漂浮着它们吐出的津液。

| 栖息环境

鲜鱼虽为水陆两栖，但主要在水中生活。不过，它们对水质要求不高，在浑浊温暖的水域也有它们的踪迹。鲜鱼善钻泥沙，不喜欢深水。目前已知的生活地区主要是英山下的禺水流域，尤其集中在流速缓慢的浅滩一带。

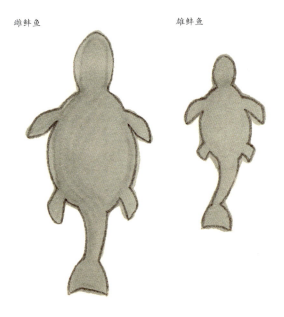

| 鲜鱼雌雄个体体型对比图

| 生活习性

鲜鱼在水中行动较慢，上岸后则更加迟缓；以水生动物为食，夜间行动，常在晚上游到浅滩觅食螺、蚬、蛙、虾、鱼等。捕食时，鲜鱼潜伏于浅滩边，将身体埋进泥沙中，仅露出眼和嘴，待猎物靠近，就发动致命攻击。其食量较大，通常能一次吃进相当于体重5%的食物，并在半个月内不再进食。

鲜鱼不常迁移，喜欢独自栖息在水底，没有领地意识，完全不介意同类在自己附近觅食。它们不仅能用鳃呼吸，还能用皮肤，甚至用咽喉吸收氧气。

它们的新陈代谢速度非常慢，耐饥能力很强，当温度过高或过低时均会休眠；每年霜降前后，都会准时开始在水底冬眠，一直到翌年清明，长达半年之久。而在夏秋季节，它们会主动捕食，尽可能多地吞吃食物；夏季炎热起来后，如果水位降低，它们会在泥沙中挖个大坑，用泥沙把自己埋起来，只露出尾鳍，在夏至到处暑之间，再休眠一段时间。

山海经动物图鉴

白
[bái]

蛇
[shé]

昆门 × 爬行纲 × 有鳞目 × 蟒蛇科 × 蟒属

西二百里，曰泰冒之山，其阳多金，其阴多铁。浴水出焉，东流注于河，其中多藻玉。多白蛇。
——《山海经·西山经》

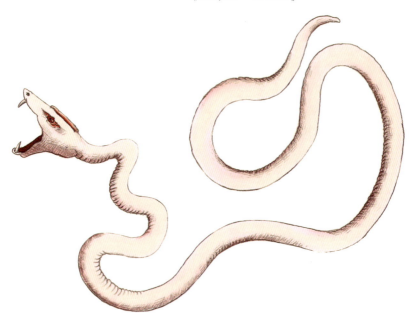

| 藻玉

| 栖息环境

白蛇不耐干旱,多见于低山丛林及灌木丛,也可以长期生活在水中。

| 形态特征

这是一种通体纯白的大蟒,头顶有一片微凸的红色肉冠;头小,略呈尖圆形,吻部较窄,吻鳞宽大于高;眼窝较浅,瞳孔为椭圆形,呈鲜红色;全身覆盖白色细鳞,尾部骤然变细,无尾环结构。

| 生活习性

白蛇生命周期很长,它们平时的活动速度比较缓慢,嗜好昏睡,可以用皮肤呼吸,所以能够长期在水底生活。多数情况下,蛇类都是喜热怕冷的个性,但这种白蛇能够忍受较低的温度,因此在寒冷的冬季也保有行动能力。白蛇为穴居生物,大多躲进自然洞窟、兽穴、岩缝一类的地方休息,或者藏身水底。浴水的河底有大量藻玉,这些带有符彩的玉石具有灵性,可以通过辐射的方式,加强白蛇的自愈能力,甚至帮助开发智力,所以它们非常聪明,可以准确地判断天气变化,并做出相应调整。达到一定寿命的白蛇,甚至可以预测气象和天象。

一般来说,它们需要冬眠,时间长达5个月,但在藻玉的影响下,它们可以渐渐不再需要长时间的休眠,即使在低温和缺乏食物的环境中也能生存。白蛇的食量比较大,一次可以吞下与它们体重相当的食物,比如山羊、鹿、麂、猪等,也会攻击啮齿类动物、禽鸟及两栖类动物;消化能力也很强,除了兽毛以外,通通可以消化,饱食一次之后,可以持续一个多月不进食。

山海经动物图鉴

羽门 × 山海鸟纲 × 鸡形目 × 雉科 × 轮值属

鸱
[chǎng]

鹎
[fú]

又东三百里,曰基山,其阳多玉,其阴多怪木……有鸟焉,其状如鸡而三首六目、六足三翼,其名曰鸱鹎,食之无卧。

——《山海经·南山经》

| 鹅鸰骨骼图

| 形态特征

鹅鸰生有三个头，呈扇形分布，每一根颈椎有14节，颈椎与胸椎之间具有三通形的第15节颈椎，是三头的连接点；并有三翼，从左至右分别位于左肋部、背部第15节颈椎连接处和右肋部。在左右肋部翼关节处、骨盆各有一对"轮值足"，通常情况下并不使用，只有捕食或躲避危险时才会用到。

雄性鹅鸰羽毛色彩华丽，体型较雌性大。头部有大红色的肉冠，从头至背部以绯红色短羽为主，间杂金色与黄褐色的羽毛；胸腹部短羽多以翠色或孔雀蓝色为主，并有明显的金属光泽；尾羽长而披散，这是所有雉科禽类的特点。雌性鹅鸰的体形较小，且羽毛没有金属光泽，尾羽短圆。雄性鹅鸰的六只脚上都有"距"，这是在求偶过程中战斗时所用的。"距"的长短直接影响雄性的配偶数量。

| 栖息环境

鹅鸰的主要栖息地在基山北麓山腰以下的灌木丛中，它们属于群居动物，族群中会有8只雄性鹅鸰作为哨兵栖息在较高的树木上。

| 鹠鹕颈椎连接处

| 盆骨足骨连接处

| 生活习性

鹠鹕是一种轮值动物。一天12个时辰，三头轮值。由左向右，每4个时辰有一个头保持清醒。他们具有很强的奔跑能力和低空飞行能力，这也得益于它们本身的"轮值足"与"轮值翼"。在遇到敌人时，鹠鹕会通过超长的耐力拖垮天敌，令其放弃；通常奔跑入灌木丛躲避捕猎者，只有在迫不得已的情况下才会起飞，飞行速度很快也很有力，但只可以进行抛物线式的短距离飞行。落地后通常以奔跑为主，一般不会再次起飞。

| 鹠鹕距

鹠鹕的左侧头只在立春至小满期间进食，主要以嫩草茎和草叶为食；中间头只在芒种至秋分期间进食，主要以基山北麓树木上的浆果和昆虫为食；右侧头只在寒露至大寒期间进食，依靠干草与土中的草籽、树籽等为食。

山海经动物图鉴

灌
[guàn]

灌
[guàn]

羽门
×
山海鸟纲
×
鸽形目
×
鸠鸽科
×
斑鸠属

又东三百里,曰青丘之山,其阳多玉,其阴多青䨼……有鸟焉,其状如鸠,其音若呵,名曰灌灌,佩之不惑。
——《山海经·南山经》

| 灌灌头部图

| 栖息环境

灌灌的栖息范围很广,在青丘山各处都能见到。平时多栖于多树的草地,或九尾狐的洞穴附近,常结集成小群在树上停歇,或在地面觅食,受惊就立即飞避至附近树上。灌灌飞行十分迅速,但不能持久。

| 形态特征

灌灌长着小头、细颈,颈部有一圈黑色羽毛,点缀着珍珠状斑点,全身羽毛呈灰紫色,翎毛尖端为浅红色,尾羽长度不超过身长,由9根翎毛组成,正面有竹节状花纹,一共9节。其虹膜为灰色,眼周有一圈红色绒毛。嘴狭短而弱,攻击性比较低。灌灌的翅形狭长,毛色相对身体较浅;足部呈砖红色,跗跖短而强,趾长而狭,适于行走奔驰。灌灌的体型较小,最大的也不超过一尺,雌雄差异不大,一般成对生活,很少单独行动。

| 生活习性

灌灌的叫声清脆悦耳,鸣叫时作鞠躬状,声调婉转且快速。它们以谷物、草实等为食,但因为不能长途飞行,每到秋冬季节,食物减少时,灌灌只能依赖囤积食物的九尾狐族群。长久以来,灌灌变成了九尾狐的伴生动物,即使九尾狐进入人类社会,也有可能会带上一只或一对灌灌。

青丘山上的灌灌都属于同一个族群,日常生活中比较分散,基本上成对或成小群行动。灌灌无筑巢行为,白天觅食,夜晚在岩石缝隙、树枝上休息。

山海经动物图鉴

䲹

[zhū]

羽门 × 山海鸟纲 × 隼形目 × 灵足科 × 人爪属

南次二山之首,曰柜山,西临流黄,北望诸毗,东望长右。英水出焉,西南流注于赤水,其中多白玉,多丹粟……有鸟焉,其状如鸱而人手,其音如痺,其名曰䲹,其名自号也,见则其县多放士。

——《山海经·南山经》

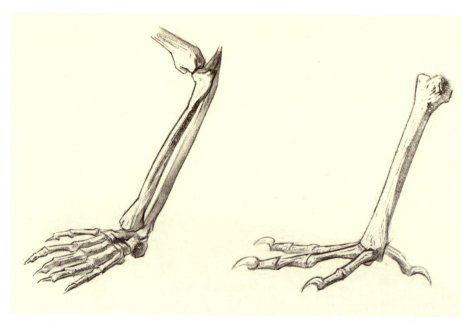

| 鸱（左）与一般禽类（右）腿骨对比图

形态特征

鸱是一种猛禽，体型比苍鹰稍小，背部羽毛为深褐色，腹部颜色近黑；喙短小而坚硬；两足尤长，各有五趾，骨骼结构类似于灵长类动物，两足非常灵活，可以轻易抓取光滑的物体，便于捕捉地面和树梢上的游蛇；指甲较短，非常尖利，可以杀死蛙、蜥蜴、大型昆虫等，对野兔等中小型哺乳动物的杀伤性较小。类似手掌的足能够帮助它们使用工具，例如使用石器敲碎贝壳等。

从体型和外表上看，雌雄差异不大。雌性的身体稍大，翅膀更长，也更为有利，能够飞得更高更远，视力也比雄性更强。卵生，刚刚孵化的幼鸟通体白色绒毛，两足呈粉红色，没有指甲，出生半年以后，才会换上深色的羽毛，长出尖利的指爪。

栖息环境

鸱在柜山的悬崖上筑巢时，会刻意选择崖壁上伸出的树干或岩面，用树脂混合枯枝、树叶、羽毛等黏合在一起，并固定在树杈或岩石上。也有在森林中筑巢的鸱。它们喜好在山谷、草地、树丛中寻找食物，偶尔也栖息在河谷旁边，它们只有在哺育幼崽的时候，才会把住处固定下来。

| 鸫使用石器工具示意图

| 鸫的幼崽

| 生活习性

鸫以柜山上的蛇类为食，辅以英水中的贝类、大型昆虫和小型雀鸟。它们两足上的皮肤有一层厚厚的角质，可以抵御毒蛇的撕咬。

一般来说，鸫是独行动物，伴随着日出开始捕猎。它们经常隐藏在高处的树枝上，见到猎物就突然俯冲下来，抓住猎物时则会发出尖锐的叫声，如同人在大声呼喊。

鸫有很强的竞争意识，在繁殖期以外的时间，会视任意一个遇见的同类为敌人，但在繁殖期内，又会形成合作关系。雌鸟负责孵蛋，雄鸟捕猎，并喂养雌鸟。幼鸟孵化后，父母会轮流捕猎和看护幼鸟，直到幼鸟开始换羽后，雄鸟才会离开，脱离这个家庭。而幼鸟会跟随母亲学习飞行和捕猎，直到独立。

山海经动物图鉴

瞿
[qú]

如
[rú]

羽门 × 山海鸟纲 × 鹤形目 × 鹤科 × 三足属

东五百里,曰祷过之山,其上多金玉,其下多犀、兕,多象。有鸟焉,其状如鵁,而白首、三足、人面,其名曰瞿如,其鸣自号也。

——《山海经·南山经》

| 瞿如盆骨与腿骨构造图

| 瞿如睡眠姿势图

| 形态特征

瞿如体型修长,长颈而背部隆起,头顶有裸露的红色肉冠,身上的羽毛为浅黄色,从头顶至前胸有一道蓝色花纹。翅膀羽毛呈蓝灰色,飞羽尖端为红色。瞿如的头部比较奇怪,长有突出的眉骨和梨形体,使得它看上去拥有会活动的眉毛以及扁圆凸出的鼻子,仿佛是喙上方的装饰。

瞿如的面部肌肉分布类似人类,可以做出许多复杂的表情。它们视力非常发达,和鹰的眼睛结构类似,能够轻易捕捉广泛区域内的风吹草动,但是飞行能力不强,且双翼并不协调,只能在低空滑翔一段距离,这一特点也影响了它们捕猎的能力。

瞿如有三只脚,腿细而长,有环状橙色花纹分布。它们站着睡觉,从不卧倒,还会像鹤一样单腿站立,把自己的头向背部弯曲进行休憩。瞿如的第三条腿位于近尾处,属于盆骨末端的增生结构。在奔跑时,这条腿会折起紧贴在胸腹部,而在休息时,则会与另外两条腿一样,轮流作为身体的支撑。

| 栖息环境

瞿如喜欢多水的环境,一般生活在水边的芦苇丛中或灌木茂密的沼泽地,它们的巢穴比较固定,不会发生侵占同类巢穴的情况。它们生活在祷过山的山脚,只在祷过山上游荡。

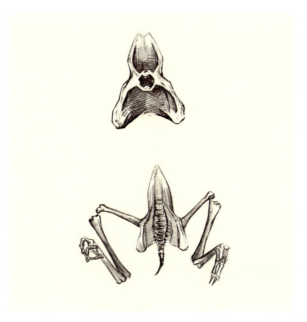

| 瞿如盆骨（上）与一般鸟类盆骨（下）对比

| 人面封印图

| 生活习性

瞿如喜好肉食，但捕猎能力很差，一般会采食野果、野菜、螺、小鱼和小虾，运气好的时候还能捕捉到青蛙、田鼠一类的小动物。

瞿如没有求偶行为，但它们自发形成了结对的生活模式，无论是进食、巡视，还是面对敌人，它们都是两两行动。伙伴没有性别限制，瞿如并没有固定的繁殖时间，因此共同生活的两个个体类似于共事关系。

它们每天会花相当长的时间观察犀和咒的群落，巡逻棚舍和食槽。咒是本性凶猛的食草动物，一旦有被咒杀死的入侵者，无论是人还是野兽，瞿如便会蜂拥而至，分食它的尸体。

瞿如是受到诅咒的生物。它的躯壳之内封印着罪人的灵魂，令他们只能过着野生动物的生活，并顺从记忆的驱使，看管曾经驯养的大型野兽犀和咒。

山海经动物图鉴

颙

[yú]

羽门 × 山海鸟纲 × 鸮形目 × 鸱鸮科 × 重华属

又东四百里,曰令丘之山,无草木,多火。其南有谷焉,曰中谷,条风自是出。有鸟焉,其状如枭,人面四目而有耳,其名曰颙,其鸣自号也,见则天下大旱。

——《山海经·南山经》

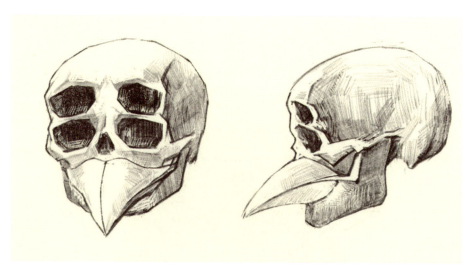

| 颙头部骨骼图

| 形态特征

颙的头型宽大，嘴短而粗壮，前端成钩状，头部正面的羽毛排列成面盘，眼后的羽毛向上竖起，耳朵呈涡状。它们的腿很短，但指爪很长，带有尖利的指甲，杀伤力很强。紧密排列的两对眼睛是一种"重华"现象——该现象分为两种，一种是在两个眼眶中各藏有两个瞳孔，另一种则是有上下对应的两对眼眶，最终都可形成"四目"的状态。在遥远的古代，重华被认为是一种异象，不论是人还是动物，如果具备了重华的特点，则一定具有非同一般的能力或使命。在历史上，仓颉、虞舜、重耳、项羽等人都有四目或重瞳的记载。

颙的身上有许多火焰状的纹理，眼睛上方和脸周有红黄两色的长毛，在风中飘动时极像燃烧的烈火。这身羽毛能够耐受高温，遇火不燃，遇水不湿。

| 栖息环境

颙栖息在令丘山上。这是一座活火山，山上没有任何植被，只有间歇性喷出的浓烟、水蒸气和岩浆。山脚下有硫黄泉，逐渐才有动植物出现。颙偏好炎热的区域，白天觅食，夜间会宿在火山口内的岩壁上。

| 两种重华现象示意图

| 生活习性

颙孤身生活在令丘山,世上并没有第二个同类。可能从诞生之初,它就已经习惯了孤独。

颙讨厌湿润和绿色,几乎不会离开荒芜的令丘山;可以食用硫化物,能直接吞下未熄灭的焦炭。只有到了旱灾来临之时,颙才愿意飞去更远的地方。见到被晒死的人或动物,颙就停下来,食用这些半腐化的尸体。

因为它会在大旱时出现,所以人们把它看作是旱魃的使者,是导致旱灾的罪魁祸首。颙所经之处,人们都会想尽办法来扑杀它,或者用驱逐旱魃的口诀来驱赶它,但颙本身水火不侵,而且机警敏捷,每次都能轻易逃脱。

山海经动物图鉴

䲷
[tóng]

渠
[qú]

羽门
×
山海鸟纲
×
鸡形目
×
雉科
×
锦鸡属

西四十五里，曰松果之山。濩水出焉，北流注于渭，其中多铜。有鸟焉，其名曰䲷渠，其状如山鸡，黑身赤足，可以已。
——《山海经·西山经》

| 鹕渠卵

| 栖息环境

松果山以岩石耸立，乱石穿空的形象得名，山地比较荒芜，少有高大的乔木。遍地都是荆棘、灌木丛和矮小的箭竹簇。

| 形态特征

鹕渠的体型较大，雄性身长接近十岁儿童的身高，而雌性体型几乎只有雄性的一半。鹕渠头顶有鲜红的两点肉冠，羽毛颜色单一，玄色，不论雌雄都有很长的尾羽。鹕渠的喙短小，腿骨较长，弯曲近腹部，善于奔走，步态轻盈；能飞，但由于身体太重，很难飞远，只能从地面飞到树梢，或滑翔一段距离。

| 生活习性

鹕渠偏爱海拔较高的山地，喜欢在灌木间或裸露的山岩上活动，以草籽、竹笋等为食，兼食昆虫。一般成对生活，在清明前后开始繁殖。雄性会在人畜罕至的山坡上选择倒木枯枝下、荆棘丛里或巨岩缝隙间筑巢，用枯叶和羽毛做装饰，入口非常隐蔽。

鹕渠一次产卵五枚左右，蛋壳浅黄褐色，表面光滑，有水纹状图案，由雌性和雄性轮流孵化，孵卵期为21天。

山海经动物图鉴

羽门 × 山海鸟纲 × 鸡形目 × 雉科 × 锦鸡属

赤
[chì]

鷩
[biē]

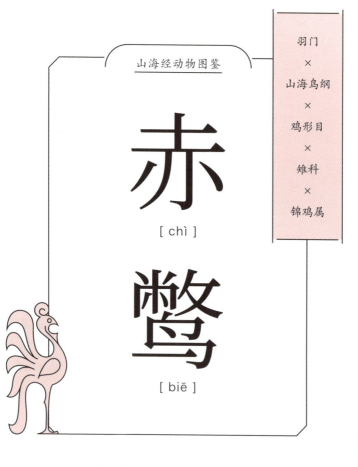

又西八十里，曰小华之山，其木多荆杞，其兽多牸牛，其阴多磬石，其阳𤧤琈之玉，鸟多赤鷩，可以御火。
——《山海经·西山经》

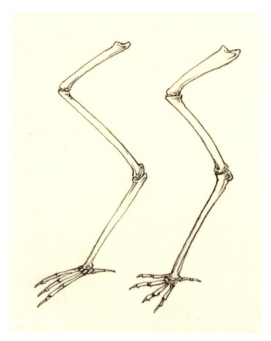

| 赤鹫腿骨（左）与一般鸟腿骨（右）比较图

| 形态特征

赤鹫有一身华丽的羽毛，头顶有翘起的红色羽冠，头部为鲜绿色，颈部为黄色，向下过渡至深红色的腹部和尾羽。赤鹫翅膀的飞羽和翎毛中都夹有金色，在阳光下会反射出闪烁的效果。

赤鹫的视力出众，眼睛构造很奇特，眼内有梳状突起。这是特殊的折叠结构，其功能是减弱眼内的散射光，增强对光线的捕捉能力。赤鹫的两眼之间有热感系统，覆着一层薄膜，对热度变化极其敏感。在黑暗的环境中，它们能够准确地判断出温血动物的位置和移动轨迹。

它们的腿骨相较其他禽鸟更为纤长，因此更加擅长奔跑，行动时，它们像一阵红色的旋风，很少有捕猎者能追得上它们。

| 栖息环境

赤鹫的分布范围较广，如小华山和嶓冢山等。它们一般只会栖息在灌木丛和草地间，偶尔也会进入森林，但由于耐寒能力较低，大多只栖息在人迹罕至的山谷中。

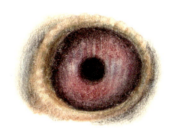

| 赤鹬眼睛细节图

| 生活习性

赤鹬或独行,或伴侣结伴而行。它们是杂食动物,食物会根据地区和季节的不同而改变:春季啄食刚发芽的嫩草茎和草叶;夏季以各种昆虫、蚯蚓,以及部分植物的嫩芽、浆果和草籽为食;秋季食用各种植物的果实、种子和部分昆虫;冬季则寻找地下的根须、草茎为食。

赤鹬腿脚强健,善于奔跑,特别是在灌木丛中;也善于藏匿。它们一般在夜间行动,白天会在灌木丛间休息,见到其他动物会飞快地逃跑,只有受到食肉动物的追赶时,它们才会扑腾翅膀飞起一段距离,躲到树梢高处。

由于感光和感热能力都很强,赤鹬对火源极度敏感,一旦发现,便会发出尖锐的鸣叫。因此,有人曾经试图饲养它们来预测火灾。

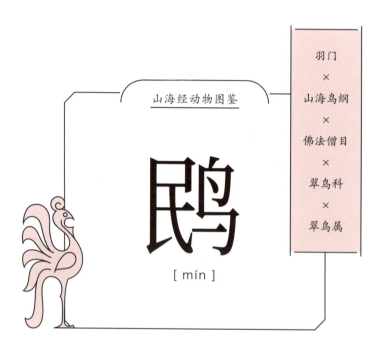

山海经动物图鉴

鴖

[mín]

羽门 × 山海鸟纲 × 佛法僧目 × 翠鸟科 × 翠鸟属

又西八十里,曰符禺之山,其阳多铜,其阴多铁。……其鸟多鴖,其状如翠而赤喙,可以御火。

——《山海经·西山经》

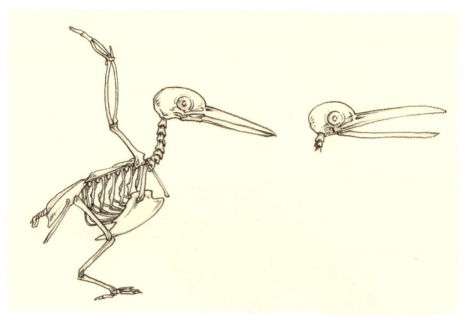

| 鸱全身骨骼图

| 形态特征

这种鸟类的特征是嘴粗直，长而坚，嘴脊有菱形凸起；头大颈短，头顶有红色羽冠，除了腹部为红色绒毛外，通体翠绿，颜色艳丽而且具有光泽；翼尖长，飞羽外侧蓬松；尾短圆；脚趾长而撑开，骨骼细弱，有距，但非常细小不易察觉。

| 栖息环境

鸱喜欢亲近水源，一般栖息在有灌木丛或稀疏树林的小河、溪涧和湖泊附近，偏好水流清澈而较缓的流段。符禺水发源于符禺山，清澈见底，水质清凉，山谷中有几个回湾，两边灌木丛生，非常适宜鸱生活。

| 鸥入水时（左）和出水时（右）的透明眼睑

| 生活习性

鸥的个性孤僻，平时会独自栖息在近水的树枝或岩石上，伺机猎食，以小鱼为主，兼吃甲壳类与多种水生昆虫及其幼虫，也啄食小型蛙类和少量水生植物。

鸥水性很好，进入水中还能保持极佳的视力。这是因为它的眼睛有两个特性：一是有一层透明的眼睑，可以防止水流和污物伤害眼睛；二是有很强的感光能力，进入水中后，能迅速适应水中光线造成的视角反差，自发调整眼睛捕捉到的光线。所以捕鱼本领很强。

鸥和葱聋是一对冤家，虽然都生活在符禺山上，且两者的生活区域并不重合，又都孤僻胆小，但是鸥好水、惧火，而葱聋有一身火红的鬃毛，所以每当鸥见到葱聋时，就会发出高分贝的鸣叫，可葱聋耳力出众，面对这种叫声便惊慌失措，甚至慌不择路，常会摔伤或撞伤。

文茎果实成熟的时候，鸥也会聚集过去啄食果实，而葱聋则会一改胆小的常态，凶恶地赶走竞争者。双方每年在树下的对峙，总会造成一些伤亡。

山海经动物图鉴

肥遗

[féi]

[yí]

羽门 × 山海鸟纲 × 鸡形目 × 雉科 × 火鹌属

又西七十里，曰英山，其上多杻檀，其阴多铁，其阳多赤金……有鸟焉，其状如鹑，黄身而赤喙，其名曰肥遗，食之已疠，可以杀虫。

——《山海经·西山经》

| 肥遗孵蛋的窝

| 栖息环境

肥遗对地形的适应性很强，无论是平原、荒地、山坡、丘陵，还是沼泽、湖泊、溪流两岸，只要有茂盛的野草或灌木丛的地方它们都能生存。它们善于隐匿，平时喜欢潜伏于草丛或灌木丛间，或在其中潜行。英山上多树，多矿，且无大型陆生动物，肥遗没有天敌，很少需要隐藏起来。

| 形态特征

肥遗的体型小而圆润，浑身金色的羽毛，通常雌雄的个头相差不大。肥遗的头顶有裸露的红色肉冠；喙短而钝，脚爪纤细，和圆滚滚的身材十分不符；尾巴短小，飞羽也不发达，又因为体重过大，所以很难飞起来，它们只能扑棱着翅膀跳跃。

| 生活习性

肥遗多成小群活动，不会筑巢，一般昼伏夜出，偶尔会在白天觅食，喜欢温暖，经常会20~30只挤在一起入睡。其叫声响亮、清晰，似滴水般，分成三个音节。肥遗食性杂，可以吃草籽、野生谷物及浆果、嫩叶、嫩芽等，也能啄食昆虫及幼虫、小型无脊椎动物等。它们还会吞下矿石帮助消化，肥遗尤其喜爱和自己羽毛一样颜色的金砂粒，它们会花费大量的时间刨掘土壤或观察溪流，寻找金矿。

夏季为肥遗的繁殖期。这时候，肥遗需要大量的食物，一般的植物和昆虫不能满足其需要，于是，这些体型小巧的禽鸟，便会向潜伏在河边的鲜鱼发动攻击。虽然鲜鱼的体型是肥遗的几十倍，但是这些小动物成群结队地扑上去撕扯和啄食鲜鱼的皮肤时，行动缓慢的鲜鱼也无法招架。最终，一只鲜鱼会被肥遗们分成许多块，然后各自把鱼块拖回灌木下的临时巢穴，作为未来孵卵时期的食物储备。

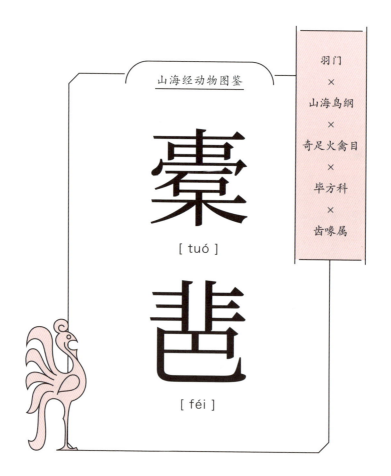

山海经动物图鉴

橐
[tuó]

蜚
[féi]

羽门 × 山海鸟纲 × 奇足火禽目 × 毕方科 × 齿喙属

又西七十里，曰翰次之山，漆水出焉，北流注于渭。其上多棫橿，其下多竹箭，其阴多赤铜，其阳多婴垣之玉……有鸟焉，其状如枭，人面而一足，曰橐蜚，冬见夏蛰，服之不畏雷。

——《山海经·西山经》

| 橐琵全身骨骼图

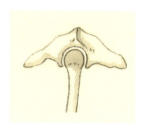

| 腿骨连接处

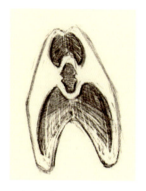

| 橐琵盆骨图

| 形态特征

橐琵是单足禽类，这种类型在《山海经》的世界里并不少见，最著名的是火精毕方，突出的特征为人面一足，随身带有奇异的野火，点燃它经停的地方。这种独脚又带有特殊能力的禽鸟，一般会被归类为毕方科。

橐琵的身体扁圆，头部较大，其上的羽毛根根竖起，聚成尖锥状，眼周的羽毛呈辐射状，细羽的排列形成脸盘，两侧还有耳羽形成，而全身由蓝棕两色羽毛覆盖；眼距较近，有凸出的眉骨和鼻子，使得喙的位置较低，接近下颌；喙宽而带有尖钩，下半部的边缘有细细的牙齿长出，靠近下颌骨的两端还伸出一对钩状獠牙，使得面相看起来非常凶恶；一条腿，从盆骨下方连接，灵活性比较强，关节略呈圆形，可以多角度旋转。

| 栖息环境

橐琵只在瀹次山上生活，是一种珍稀动物。瀹次山海拔高，山顶为整片的针叶林，冬季有积雪覆盖，适合它们栖息。

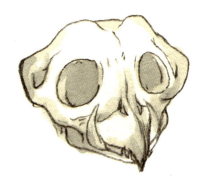 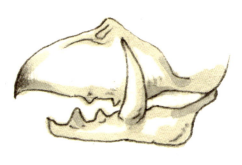

| 橐琶头部骨骼（左）与牙齿图（右）

| 生活习性

橐琶是夜行性动物，昼伏夜出，白天隐匿于树丛或岩穴中，不易见到，夜晚才会出来觅食。橐琶的夜视能力极佳，听觉也非常发达，翅膀上有密集的羽绒，能够低频飞行，因此对大多数生物而言，它们的飞行是无声的。

橐琶具有夏眠的特性，喜好寒冷，厌恶炎热。每年到了惊蛰，春雷阵阵的时节，它们就好像受到召唤一般，聚集到一起，开始向北方迁徙，并在北域的雪山上度过整个夏季，直到寒露或霜降前后，才从雪山上的岩洞里苏醒，重新集结队伍，飞回瀹次山，而到达时间正好是冬至。从冬至算起，橐琶的活动时间正好是81天。它们会刨开雪和土壤，寻找冬眠的动物、昆虫及幼虫，有时还会去攻击罴，掠走它们的幼崽。

山海经动物图鉴

尸鸠

[shī]

[jiū]

羽门
×
山海鸟纲
×
鹃形目
×
杜鹃科
×
尸鸠属

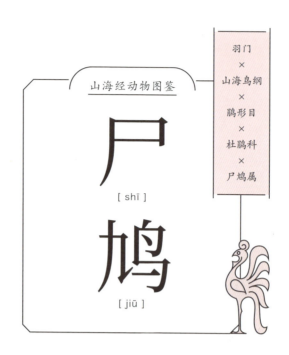

又西百七十里,曰南山,上多丹粟。丹水出焉,北流注于渭。兽多猛豹,鸟多尸鸠。
——《山海经·西山经》

形态特征

尸鸠是一种叫声清脆的小型禽鸟,眼如黑豆,喙尖而小巧,面部有深褐色斑纹,头顶有一丛浅色羽冠;翅膀有多重飞羽,主体为黑褐色,边缘有银白色的细窄斑点,看上去像是镶了边;腿细足小,尾羽长度不超过身长。

| 尸鸠占巢示意图

栖息环境

尸鸠多栖息于山地、丘陵和平原地带的森林中,在许多地方都能发现它们的身影。南山便是一处它们聚集地,但它们属于旅鸟,不会在一个地方过久地停留。因此,山下的人们也常常在农田和村庄附近的高大乔木上,见到它们三五成群地休憩。

生活习性

尸鸠的叫声独特,凄厉洪亮;飞行快速而有力,常循直线前进,两翅震动幅度较大,但无声响;繁殖期间喜欢鸣叫,常站在乔木顶枝上叫个不停,有时晚上也叫,或边飞边鸣叫,声音能传出好远。它们总是成群结队地到处迁移,喜欢温暖湿润,食物丰富多样的地方;主要食用昆虫,喜欢蝴蝶和蛾子的幼虫,也吃蝗虫、蜜蜂一类的飞虫。

在求偶的季节,雄鸟会在枝头跳来跳去,和雌鸟飞上飞下互相追逐。但是尸鸠不会自己孵化后代,也不会自己营巢,而是将卵产在其他鸟类的巢里。孵化后,尸鸠的幼鸟一般比同巢的其他幼鸟大上一倍,而且在未睁眼时,就会展开竞争,用背部把对手一个接一个拱出巢外,自己独占养父母带回的食物。等到长大成熟,它就飞离养父母,寻找自己真正的族群。

山海经动物图鉴

白翰

[bái]

[hàn]

羽门 × 山海鸟纲 × 鸡形目 × 雉科 × 鹇属

又西三百二十里,曰嶓冢之山,汉水出焉,而东南流注于沔;嚣水出焉,北流注于汤水。其上多桃枝鈎端,兽多犀、兕、熊、罴,鸟多白翰、赤鷩。

——《山海经·西山经》

| 白翰躲藏示意图

| 栖息环境

目前只有在嶓冢山的山腰上发现过白翰的身影,它们一般只会栖息在灌木丛和草地间,偶尔也会进入森林中;不喜欢寒冷的气候,到了冬天可能会到山下的竹林中生活,甚至靠近人类的村庄,在农田中寻找食物。

| 形态特征

白翰躯体短小,头也较小,顶上有蓬松的羽冠,头颈连接处有花纹;面部为裸露的红色皮肤,眼周堆积了许多褶皱;腹部硕大,翅膀上的飞羽形成浪花的形状;遍身羽毛为白色,尾羽长度不超过身长。足部纤细,为鲜红色;骨骼非常轻,为黑色。从外形上看,它长得像赤鷩,但尾羽较短。同样,它们眼睛的构造跟赤鷩也很相似,对光源和热源非常敏感。

| 生活习性

嶓冢山上生活着许多猛兽,如熊、罴。作为它们的捕食对象,白翰需要时刻小心谨慎。它们腿脚强健,善于奔跑,在灌丛中奔走极快,也善于藏匿;一般在夜间行动,白天会藏在灌木丛间休息。如果被食肉动物追赶,它们能在奔跑中飞起很长一段距离,但由于体色显眼,一般不会停栖在树木高处,而是钻进树洞、岩缝等隐蔽处。面对同族,白翰会表现得十分好胜,尤其是雄性之间。如果和同类遇见,它们会高声鸣叫,挑衅地踱步、对峙,最终厮打在一起,直到落败的一方被啄掉头上的羽冠,逃出胜者的视线。

山海经动物图鉴

栎

[lì]

羽门 × 山海鸟纲 × 鸡形目 × 雉科 × 火鹑属

又西三百五十里,曰天帝之山,多棕枬,下多菅蕙……有鸟焉,其状如鹑,黑文而赤翁,名曰栎,食之已痔。

——《山海经·西山经》

形态特征

栎与肥遗同属，外形相似，但比肥遗更小、更圆，腿也更短。栎的体型小而圆润，整个身体看起来像是一颗饱满的谷物；羽毛偏金色，雌雄无明显差异，全身的羽毛基本呈瓜子形，有黑色花纹，绒毛蓬松，保暖能力极佳；栎头顶没有红色肉冠，但在嘴下方有一片圆形的红色皮肤，这里集中了大量的神经元，可以敏锐地感受到温度、湿度，甚至是风向的变化，帮助它们洞察周围的危险。

栎的眼如黑豆，视力发达，对光线比较敏感；尾巴短小，基本掩盖在羽翼之下，但飞行能力不好，所以栎的翅膀主要用于在奔跑时保持平衡或帮助跳跃。

生活习性

栎通常独居，偶尔以群体为单位进行活动，比如在觅食时，群体内的每个成员会交错抬头，随时处于警惕之中，确保大家的安全。它们会不断发出咕噜噜的鸣叫，音调不高，如滚石子一般。如果某个成员发现了异常，鸣声会突然变化成尖锐的长音，并立即逃跑。其他成员一旦听到这种长音，就会头也不回地四散开来，迅速钻进灌木荆棘之中。

栎的食物包括草籽、野生谷物及浆果、嫩叶、嫩芽等，也啄食昆虫及幼虫、小型无脊椎动物。它们会刨翻泥土，寻找矿石来帮助消化，在没有矿物的时候则会吞食砂砾。

在天帝山上，它们的天敌是谿边。因为栎的肉质极佳，还有滋补气血，强健筋骨的功效，所以谿边会经常在荆棘丛生的地方徘徊，有时还会通过合作的方式，恐吓驱赶栎群进入埋伏圈，将其一网打尽。

栖息环境

栎对地形的适应性很强，擅长隐匿在平原、荒地、山坡、丘陵、沼泽、湖泊，以及溪流两岸的野草或灌木丛中。它们认窝，会在草丛或灌木丛中踏平一小片，用树枝和干草铺成舒适的软垫作为巢穴。但为了躲避捕食者的追赶，它们偏好在荆棘丛中垒巢，平时也多躲在狭小的空间内，以此保护自身的安全。它们是谿边的邻居，住在天帝山山脚下的灌木丛中，那里有丰富的草木，食物非常充足。

| 栎的头部特写图

| 栎的翅膀与身体比例

山海经动物图鉴

数 斯
[shū]
[sī]

羽门 × 山海鸟纲 × 隼形目 × 灵足科 × 人足属

西南三百八十里,曰皋涂之山,蔷水出焉,西流注于诸资之水;涂水出焉,南流注于集获之水。其阳多丹粟,其阴多银、黄金,其上多桂木……有鸟焉,其状如鸱而人足,名曰数斯,食之已瘿。

——《山海经·西山经》

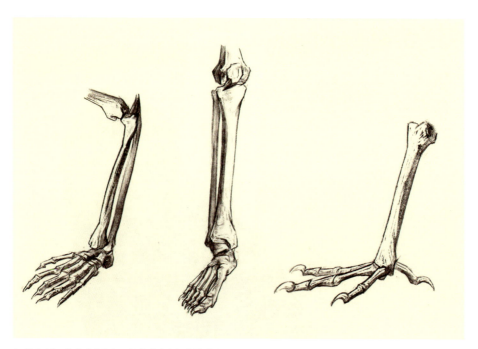

| 鹳（左）、数斯（中）与一般鸟类（右）腿骨对比

| 形态特征

数斯是一种怪异的动物，身躯是禽鸟，却长着一对人一样的脚；头部滚圆，面部略平，有明显的眉骨和眼窝，神情很像人；喙短而带钩，坚硬而锐利；从头至尾均覆盖着黑色羽毛，但腹部及以下为白色绒毛；翅膀上有金色花纹装饰，飞羽很长，展翅的长度超出身长许多；尾羽较短，不超过身长的一半。

数斯的膝盖方向与人类相反，但掩盖在羽毛之下；膝盖以下的部分与人的足部基本一致，皮肤裸露，肌肉发达，就好像特别粗暴地将两种截然不同的生物拼接在一起。由于行走时腿弯曲的方向与人类不同，且飞行时不会收起足部，所以人们见到它们时都会感到极其诡异。

| 栖息环境

数斯住在皋涂山的山腰处，没有巢穴。它们的足部没有抓握树枝的能力，因此不会栖息在树木上，而是站立在地上或者岩石上，还会选择平整柔软的草地栖息。

| 数斯飞行示意图

| 数斯足部骨骼图（侧面）

| 生活习性

数斯给人的观感诡异，眼神看上去很凶恶，颜色是浓郁的黑，在夜间飞行时人们几乎只能看见一双悬空的脚在移动。因此，很多人把它们当作一种恐怖的鬼物看待，认为这是不吉利的禽鸟。

数斯的习性也不同于其他禽类，偏好的食物往往具有毒性，例如皋涂山上盛产的两种毒物：一种是矿物，名为礜，是制砷和亚砷酸的原料；另一种为植物，叫无条，叶片像是葵菜，但背面呈红色。这两种东西的毒性不算太高，但对普通动物和人都能产生伤害，而数斯却经常食用这两种毒物，完全不受其毒性的影响。除此以外，它们还喜欢啄食人和动物的赘瘤，也食腐肉和肉虫。

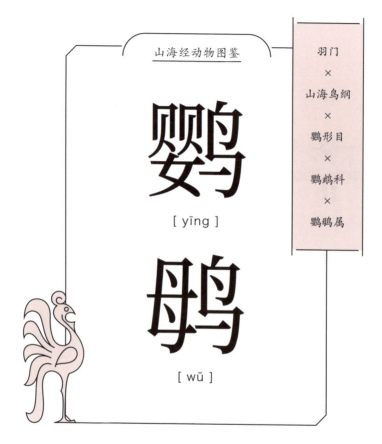

山海经动物图鉴

鹦䳇

[yīng]

[wǔ]

羽门
×
山海鸟纲
×
鹦形目
×
鹦鹉科
×
鹦䳇属

又西百八十里，曰黄山，无草木，多竹箭。盼水出焉，西流注于赤水，其中多玉……有鸟焉，其状如鸮，青羽赤喙，人舌能言，名曰鹦䳇。

——《山海经·西山经》

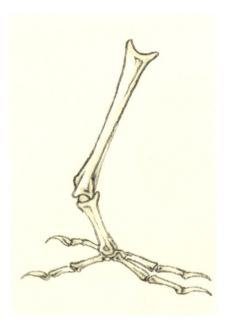

| 鹦鹉足部骨骼

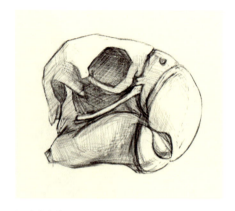

| 鹦鹉头骨

| 形态特征

鹦鹉的种类很多,分布地域广泛,而且在历史上也很早就被人们所认识、驯养。它们是典型的攀禽,足部为对趾型,即两趾向前、两趾向后,特别适合抓握树枝。

鹦鹉的体型最大可接近一个3~5岁的儿童;头顶较圆,有的还有羽冠;羽毛色彩十分鲜艳,腹部有老虎似的条纹;尾羽长而直,飞行时能展开成扇形;喙坚硬而有力,可用来食用硬壳坚果。

自古以来就有传说,鹦鹉长着人的舌头,所以才能像人一样开口说话。虽然事实并非如此,但鹦鹉的发声系统构造,确实比普通的鸟类更加发达、完善,厚实的舌头能帮助它们更好、更清晰地发音,再加上脑部发育较好、智商高,使得它们拥有了高超的语言模仿能力。

| 栖息环境

鹦鹉一般会在树洞里铺上干草和枯枝作巢,所以往往栖息在拥有高大乔木的森林里,它们也常常飞行迁移,寻找更适宜的栖息地。黄山就是它们停留的一站,但这里竹林遍布,其余花木不多,所以并不是鹦鹉理想的家园。

| 鹦鹉喜爱的坚果

| 鹦鹉进食图

| 生活习性

鹦鹉一般成小群生活，多栖在树梢，吃植物的果实、种子、嫩芽，以及部分昆虫和花蜜等。在取食过程中，它们常常用喙与足趾配合，例如在树冠中攀援寻食时，会首先用嘴咬住树枝，然后双脚跟上；而行走在坚固的树干上时，则会把嘴的尖部插入树中，以保持身体的平衡，加快运动的速度；吃食时，常用一足握住食物，之后塞入口中。

普通的鹦鹉寿命约在7~20年，而体型较大的品种则长寿一些，最多可以活到80岁左右。

山海经动物图鉴

鵹鸟

[lěi]

羽门 × 山海鸟纲 × 雀形目 × 鸦科 × 多肢属

又西二百里,曰翠山,其上多棕枏,其下多竹箭,其阳多黄金、玉,其阴多旄牛、麢、麝。其鸟多鸓,其状如鹊,赤黑而两首、四足,可以御火。

——《山海经·西山经》

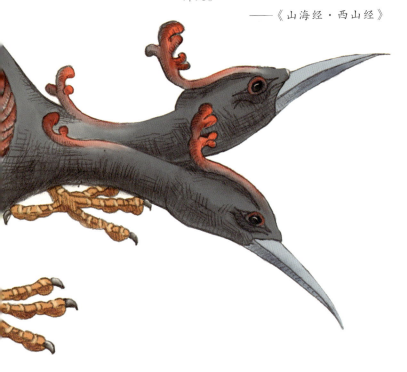

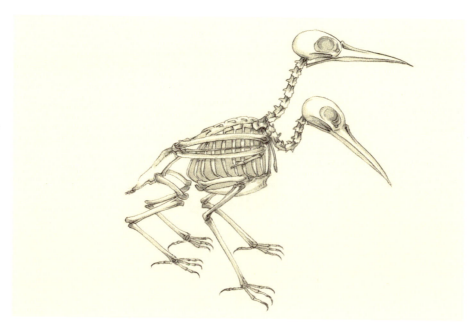

| 鹮全身骨骼图

| 形态特征

鹮有两个头，头骨尖细，喙较长。两个头分别由七截颈椎骨连接至身躯，第八截椎骨则为三通管状；胸骨下方有一对轮值足生出，而原生的常用足则靠近尾端；体长与渡鸦相差无几；羽毛多为黑红两色，头部和颈部都有翘起的红色羽冠；翅膀长于尾巴，有浪涛形状的纹理，发出金属光泽；尾部由9根翎毛组成，末端为红色；轮值足长度小于常用足，均为四趾，趾长而分开，指甲为钩状，所以很少用到，多在觅食的时候充当辅助。

鹮的视力良好，眼周有一圈红毛；两眼之间有类似赤鹫的热感系统，覆有薄膜，能在黑暗环境中，准确地判断出温血动物的位置和移动轨迹；两个头内都有脑结构，可以分别处理两个头各自接收的信息，但两者也会相互配合，类似于人类的左右脑。鹮非常机警敏感，两个头可以分不同时间休息，以保证任何时间都有一个头保持清醒。

| 鹛的三通脊椎

| 栖息环境

鹛栖息于翠山山腰的森林中,主要在疏林和林缘地带活动,偶尔也出现在山下的灌木丛、竹林及山顶苔原区域。它们偏好潮湿阴凉的环境,厌恶炎热干燥的地域。

| 生活习性

鹛的集群性较强,经常结群营巢,它们一般会把巢筑在树杈或灌木丛上,材料则多为枯枝、藤条、干草等,有时它们也会用树脂作为黏合剂;这类巢体积很大,而且不怕风雨,能够长久地使用。到了求偶的季节,雄性还会收集矿石、水玉和颜色鲜艳的种子、野花、浆果等物件来装饰巢穴,力求以温馨美好的巢打动雌鸟的芳心。

鹛觅食时会单独行动。虽然能飞行,但因为主要食物多在地面,所以它们常匍匐用四足行走,边走边刨翻泥土,寻找种子、蚯蚓、昆虫幼虫等;也吃腐肉和其他鸟类的蛋,攻击性强,常常刻意到其他鸟类的巢中打劫,抢走卵、雏鸟,甚至是建巢的树枝。

鹛的智力很高,有社会性活动,如分工合作围捕昆虫或抢劫食物,还能够互相交流,传达地形、敌人和猎物的情况。

此外,它们有反趋光的特性,即不喜欢特别明亮的光照和太炎热的环境,因此极度怕火。一旦发现火情,它们会发出粗犷的鸣叫,并迅速逃离。

山海经动物图鉴

凫
[fú]

徯
[xī]

人工制造的机器

又西二百里,曰鹿台之山,其上多白玉,其下多银,其兽多㸲牛、羬羊、白豪。有鸟焉,其状如雄鸡而人面,名曰凫徯,其鸣自叫也,见则有兵。
——《山海经·西山经》

形态特征

凫徯的身体看上去与寻常的野鸭并无不同，羽翼为褐色，尾羽短且偏绿色；腹部圆胖，腿短而细，无膝关节，脚掌有蹼，无距；其头部与人类相似，头顶无毛发，眼睛内有光；嘴部可以开合，但无食道连接；颈部细长。

凫徯看似活物，其实不然，它们的内部骨骼全部由青铜零件组合而成，可以自行运转，使它们做出类似生物的动作，例如行走、飞腾以及转动头颈等。这种仿照动物形象制作的机械在古代并不少见，例如三国时期诸葛亮发明的木牛流马，就是自走的木质机器。传说在唐朝宫廷中有一批"舞马"，能够随着乐曲作衔杯之舞，应当也是这一类型的机械动物。

栖息环境

凫徯的数量不多，只在鹿台山的范围内活动。

生活习性

凫徯不需进食，对温度、湿度、晴雨等都没有特别的反应，不太受外在环境影响。它们只会根据设置好的模式进行移动，甚至没有应激反应。

它们不眠不休，不知疲倦地在鹿台山上徘徊，直到出现战争的预兆，它们会突然展翅飞起，成群结队地在空中盘旋，并发出尖锐的哨声。这就是它们被设计出来的缘由，作为宫城四角上的岗哨，负责监察外在威胁。但岁月流转，原先的宫城早已化为废墟，它们也就只能在原本宫城的范围内继续沿着它们固定的轨迹运转。

| 木牛示意图

| 舞马衔杯示意图

山海经动物图鉴

毛门 × 山海兽纲 × 奇蹄目 × 马科 × 马属

鹿蜀

[lù]

[shǔ]

又东三百七十里,曰杻阳之山,其阳多赤金。其阴多白金。有兽焉,其状如马而白首,其文如虎而赤尾,其音如谣,其名曰鹿蜀,佩之宜子孙。

——《山海经·西山经》

| 鹿蜀全身骨骼图

| 形态特征

鹿蜀的体型类似狮子骢，属于高大的马科动物。全身上下除了头部被白色短毛覆盖之外，均铺满了黑金相间的斑纹。颈部和尾部长有鬃毛，长而飘逸，呈土红色。鹿蜀的皮毛如同斑马的皮毛，没有两只鹿蜀的花纹完全一样。迄今为止，人们还在争论鹿蜀的皮毛到底是金底黑纹，还是黑底金纹。

鹿蜀的腿较长，但身体比普通的马要短。蹄子与马蹄是相同的角质构造，但鹿蜀的蹄子在前部有明显的凹槽，将一个蹄子分成了基本相同的两个部分。这种结构便于适应杻阳山的特殊自然环境：杻阳山几乎是一座寸草不生的铜山，鹿蜀的蹄子生长成两片的结构，可以方便地在峭壁上的山石之间跳跃。鹿蜀的叫声铿锵悦耳，如同一种奇妙的音乐。经观察，鹿蜀在不同情况下会发出不同的叫声。

| 鹿蜀斑纹产生莫尔干涉效果

| 鹿蜀蹄子凹槽示意图

| 栖息环境

枑阳山蕴藏着大量铜矿，因此山体表面鲜少有植物生长，鹿蜀主要的栖息地在枑阳山上的山石之间，但它们往往会前往山下的怪水附近觅食。

| 生活习性

鹿蜀是一种群居动物，有非常强的社会性，会一同觅食，互相梳理毛发。鹿蜀的族群都比较大，最少的也有40~50只。即使是年老个体也不会被驱除出群。族群通常由雌性鹿蜀、老年鹿蜀和幼年鹿蜀组成，首领是其中健壮的雌兽，族群结构非常紧凑。成年雄性鹿蜀通常独居，每年立夏到小满期间，雌兽会脱离群体，与雄兽过夫妻生活，然后再回到群体中。

另外，鹿蜀会通过身体上的斑纹来识别同类。更重要的是，这种斑纹具有很强的保护作用，是保障鹿蜀生存的重要手段。在阳光或者月光下，黑金相间的条纹对光线的反射效果各不相同，在石林或者灌木丛中，起到模糊和分散身体轮廓的作用。而在跑动过程中，鹿蜀的斑纹会产生莫尔干涉现象，从而更好地迷惑捕食者。

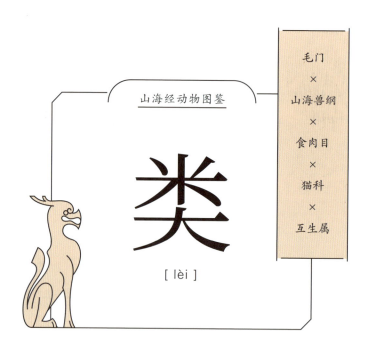

类

[lèi]

毛门 × 山海兽纲 × 食肉目 × 猫科 × 互生属

又东四百里,曰亶爰之山。多水,无草木,不可以上。有兽焉,其状如狸而有髦,其名曰类,自为牝牡,食者不妒。

——《山海经·南山经》

| 形态特征

类的体形和家猫差不多，全身覆盖浅金色与黑色相间的绒毛，脖颈位置有一圈卷曲的毛发，长度是体毛的3~5倍，类似于狮子的鬃毛。面部的花纹具有不对称性，也代表了两种性征的融合。类身上具备两套繁殖系统，是一种雌雄同体，能够进行自我繁殖的生物。人很难观测到类的妊娠过程，但幼崽一般出生在夏初时节，最迟不会晚于夏至日，三四个月后，幼崽开始独立生活。

| 栖息环境

亶爱山上草木不生，是一座遍布溪流的砂石山，而且十分陡峭，四面都有断层悬崖，人类和大型动物如果想要攀登，很容易引发山体滑坡和塌方。但类的脚掌上长着厚厚的肉垫，不会被尖锐的砂石伤到，因此它极其擅长捕捉砂土中流窜的鼠类和停留的野禽。

类是典型的独行侠，除了哺育幼崽时期以外，不会在固定的地方生活，也不会建造巢穴。它们会把悬崖的岩石缝隙或天然洞穴当作短暂的留宿之处，单独停驻在那里。

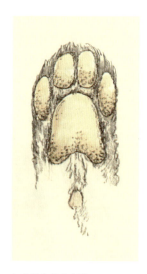

| 类的脚掌示意图

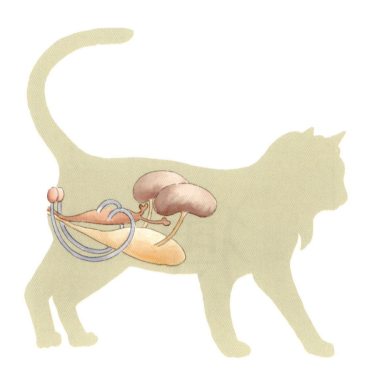

| 类的生殖系统示意图

| 生活习性

类一般在拂晓和黄昏时捕猎,夜视能力极强,行动悄无声息,是敏捷的猎手。它们很少发出叫声,一是担心惊扰猎物,二是不愿意和同类进行交流。由于雌雄同体,类没有显著的发情期,也没有强烈的攻击性。如果遇到同类,它们往往选择迅速逃窜或隐蔽,而不是进行战斗。只有当遇到了极大的威胁时,它们才会发出恐吓的叫声,并殊死一搏。

山海经动物图鉴

猼
[bó]

訑
[shì]

毛门 × 山海兽纲 × 偶蹄目 × 牛科 × 义首属

又东三百里，曰基山，其阳多玉，其阴多怪木。有兽焉，其状如羊，九尾四耳，其目在背，其名曰猼訑，佩之不畏。

——《山海经·南山经》

| 獬豸头骨

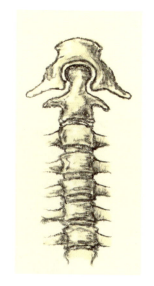

| 獬豸胸椎图

| 形态特征

獬豸的外表具有很强的迷惑性，它看起来是一只普通的山羊，但实际上那是一种"拟态"。獬豸的眼睛长在背脊处，高高隆起的肩胛骨才是它的眼窝，而"头"和"脖子"则是取食用的器官，类似于大象的鼻子。因此，"脖子"的骨节多且灵活，能够进行多角度旋转。此外，"头"部的角还可以作为战斗用的武器。

獬豸的大脑结构比较独特，背脊下方才是真正的头部，主体脑组织都在这里，被肩胛处的骨骼妥善地保护着。而"头部"颅骨内也有一部分脑组织，用来即时处理听觉、嗅觉等感官讯息。

獬豸的体毛比较疏松、粗糙，根部为白色，毛端呈灰色。尾部为蓬松的长毛，盖住了尾骨上长出的九个分叉。腹部隐藏着一个裂口，是真正长在头部的嘴巴。獬豸的身上明显有几套"备用"器官，用来预防天敌伤害或意外造成的损失，如两对耳朵、九条尾巴和两套呼吸、进食系统。

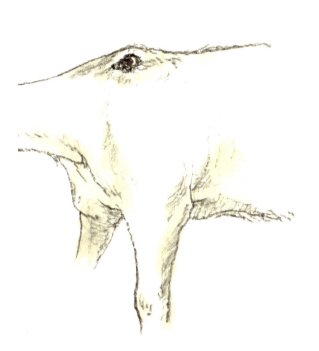

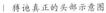
狪㐌真正的头部示意图

脑结构图

嘴巴示意图

栖息环境

基山南麓生长着低矮的灌木丛和整片草场，向上走是相对平缓的山坡和树林，向下则是岩石林立地带。

生活习性

狪㐌个性孤僻，喜欢独处，有固定居所，平常只在熟悉的范围内活动，或在林间，或躲藏在岩石后面。它们的听觉高度敏感，耳朵能自由旋转，并过滤风声等杂音，因而不会放过任何一点微小的响动。

它们的视觉也很发达，借助于灵活的胸部脊椎结构，视觉范围可以达到240°，而且两眼可以分别转动，观察不同方向的事物。

狪㐌一般在清晨活动，以嫩叶、嫩草、菌菇和苔藓为食。

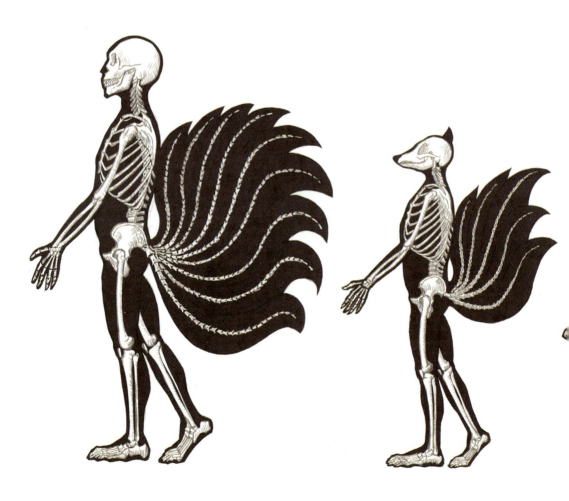

山海经动物图鉴

九
[jiŭ]
尾
[wěi]
狐
[hú]

毛门 × 山海兽纲 × 食肉目 × 犬科 × 天狐属

又东三百里，曰青丘之山，其阳多玉，其阴多青䨼。有兽焉，其状如狐而九尾，其音如婴儿，能食人；食者不蛊。

——《山海经·南山经》

| 形态特征

九尾狐全身共有341块骨骼，比人类多135块，即九条尾巴。除了尾巴以外，其骨骼数量与人类一致，而且韧性极强，可以接受强力的拉伸和弯曲。九尾狐的后肢力量较强，能支撑它们进行较长时间的直立行走。

刚出生的幼狐只有一条尾巴，全身软绵绵的，没有行动能力，只有灰黑色的绒毛覆盖在身上，鼻头处是粉红色，体型也比较小，完全依赖母亲的保护和喂养，持续时间长达6个月，是生长最为缓慢的一种狐狸。此后，随着时间增长，幼狐开始长出灰黄色的毛发，逐渐能够自由行动。

九尾狐的生长周期非常长，寿命是人类的10倍以上。在出生后的50年内，它们只能够以狐狸的形象出现，但后肢力量已经比较发达，可以直立行动。到达50岁左右的九尾狐，不再使用趾行方式行走，其向后凸起的脚踝位置逐渐下降，使得整个脚掌完全接触地面，与人类一样开始跖行；同时膝关节也已长成，能够胜任后腿完全伸直的状态。之后每过百年，它们的尾骨就会出现分叉，长出新的尾巴。

这时，它们的骨骼能够根据意愿发生形变，使其构造更像人类，而九尾狐的毛发也开始改变颜色，从灰黄色逐渐焕发色彩，变为赤金，且具有光泽。经过几次换毛之后，九尾狐的皮毛逐渐趋近纯白。实际上，后长出的毛发内部中空，近似透明，能够变换多种颜色。

| 栖息环境

青丘山因出产美玉和青䨼（一种制作青色颜料的矿石）而得名，从山脚至山顶均有深邃蜿蜒的洞穴隧道。九尾狐世代生活在此，与山上的其他动物和平相处。洞穴的开口一般位于向阳的山坡上，有些九尾狐会用碎石、苔藓、野花等装饰洞口。洞穴大多深8~10尺，内部空间相对较大，可以容纳6~8只九尾狐。有一些洞穴经过长年累月的挖掘扩张，开拓出很大的地下空间，而且与多个隧道相连，是九尾狐进行族群活动的地方。

| 九尾狐尾巴变色顺序

| 生活习性

九尾狐是群居动物，在群体中实行母系领导的模式，一般是一雌数雄住在一个洞穴中，组成一个家庭单位。成年子女不会离开父母独立生活，而是仍旧留在家庭之中，接受母亲的看顾。

由于九尾狐生长周期很长，而且在不同的阶段具备不同的能力，因此有许多九尾狐会在成年之后离开青丘山，去往人类社会。《玄中记》有记载："狐五十岁，能变化为妇人。百岁为美女，为神巫，或为丈夫与女人交接，能知千里外事，善蛊魅，使人迷惑失智。"幼年时期，九尾狐的智力便能接近人类的儿童，在百年左右，智力发展基本与人类无异，而接近千年的老狐，则远超人类的智慧。它们擅长利用各种动物和工具，例如圈养獾类来挖掘洞穴，且能与飞禽交流获取信息等。在人类眼中，它们仿佛天生带着"妖法"。

九尾狐与普通狐狸一样，都存在着"杀过"的现象，即将自己捕到又吃不下的猎物统统杀死。它们食性广泛，除了捕杀小动物以外，还会采集谷物和果实，甚至从人类的村庄中偷窃食物，囤积在家族洞穴之中。

山海经动物图鉴

彘

[zhì]

毛门
×
山海兽纲
×
食肉目
×
猫科
×
穷奇属

又东五百里，曰浮玉之山，北望具区，东望诸毗。有兽焉，其状如虎而牛尾，其音如吠犬，其名曰彘，是食人。
——《山海经·南山经》

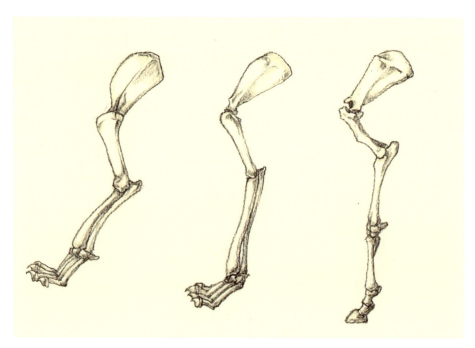

| 虎（左）、𤡎（中）、马（右）腿骨结构对比图

| 形态特征

𤡎是一种凶猛的食人野兽，外表酷似老虎，但身躯比虎肥硕，脊背高高隆起。腿骨结构比较特别，跗骨位置远远高于一般的猫科动物，更趋近于食草动物中的牛或马，因而腿显得特别长。𤡎的脚掌长且宽大，肉垫非常厚，指爪锋利，且指甲与趾骨可以弯折到接近直角的程度，奔跑时像蹄类动物一样，擅长长途追击猎物。

𤡎的颌骨强硬，上下各有一对发达的犬齿，比一般的虎豹犬齿更长也更尖锐，咬合力非常大，可以轻易突破猎物的厚皮或甲壳，刺入猎物的咽喉。𤡎的面部肌肉分布也比较不同，可以把嘴长得异常大，下颚能与头骨呈90°角。

𤡎的毛色以金黄为底，布满黑色条纹，吻部有白色短毛分布，头与颈部连接处有一圈白毛。尾部为短绒毛，尖端有簇状长毛，呈棕黑色。

| 栖息环境

𤡎是山地林栖动物，主要出没在浮玉山上的丛林和岩石裸露的地区。

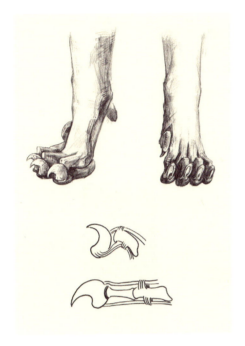

| 彘趾骨图

| 彘张口下颌交角图

| 生活习性

彘通常单独活动，无固定巢穴。整体数量不多，在浮玉山上有20~30只个体，每一只都有自己的领地，并不断巡视和标记自己的领地范围，警告同类不要侵入。

彘喜好阴凉和水塘，夜行觅食，白天常潜伏休息，黄昏时分才出动，以山间的各种走兽为食，会长时间潜伏和追踪猎物。它们一次进食量很大，之后可以数天不再进食，偶尔会咀嚼一些植物帮助消化。

彘一般不会主动离开山林，去袭击村庄里的人或牲畜，但如果有人闯入它们的领地，就会被当成猎物。彘会直接攻击人的咽喉将之咬死，再从头颅开始噬咬，直到把肉吃尽。

山海经动物图鉴

羦

[huàn]

毛门 × 山海兽纲 × 偶蹄目 × 牛科 × 羊亚科 × 羱羊属

又东四百里,曰洵山,其阳多金,其阴多玉。有兽焉,其状如羊而无口,不可杀也,其名曰羦。

——《山海经·南山经》

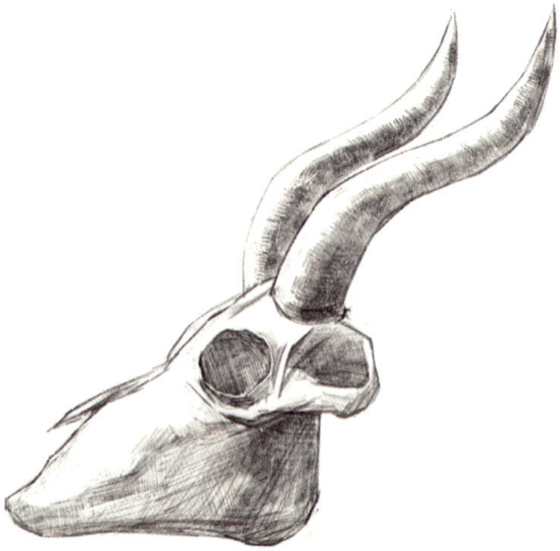

| 䍺头骨图

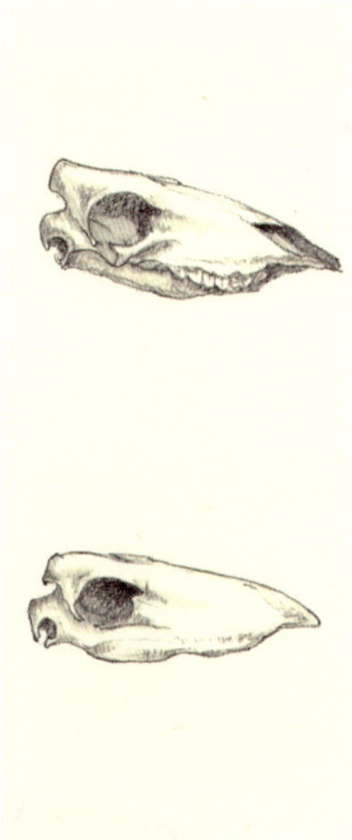

| 䍺颌骨愈合示意图

| 形态特征

䍺的头骨像一个坚实的面具，只有眼眶和耳孔，没有口鼻的位置。实际上，䍺原本是一只羬羊，四肢修长，体态优美，体型约为普通山羊的两倍大，下颌有一撮胡须般的鬃毛，浑身的毛发呈青黑色，短尾。其头骨顶部长有一对对称的骨枝，外包一层坚硬的角质，形成犄角；两只角中空，距离非常近，外观呈螺旋状。䍺的耳朵细长，听觉十分灵敏。

䍺不是自然形成的动物种类，而是意外产生的。具体的原因难以深究，但是䍺的头骨上有一些隐约的愈合痕迹，说明受到过神秘力量的影响，意外地进化了，其上下颌骨趋向融合，最终长成一整块骨头。控制嘴巴开合的肌肉组织还有保留，但已经没什么用处，而这就造成了䍺的头骨异常沉重，所以为了保持头部的灵活性，䍺的颈部和背部肌肉异常发达。

| 栖息环境

䍺生活在蕴藏着丰富金矿和玉石的洵山上。此山到处是乱石和砂土，有些玉石和金矿还裸露在土壤表面。植被稀疏，仅有零星的青草和苔藓。

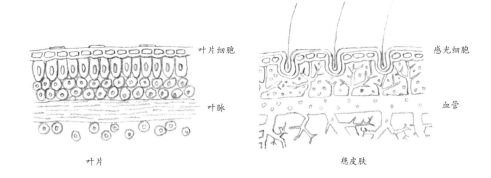

| 叶片细胞（左）光合作用与糦皮肤组织（右）的能量循环对比图

生活习性

糦是独一无二的动物，它不吃任何东西，也没有呼吸器官，所有的脏器都处在静止的状态。但在它的体内仍然存在能量循环。在它的表皮层中有许多类似植物叶绿体的粒子，可以进行一部分光合作用，将太阳光转化为能量，输送到四肢，继而保证它能够长时间进行运动。

糦十分擅长跑跳，弹跳能力惊人，可以从平地跃到近一丈高的岩石上。在阳光强烈的时候，奔跑的速度快到肉眼难以捕捉。但到了夜晚，它就进入了"节能模式"，很少行动。日食也会对它产生影响。

糦没有巢穴，没有固定的地盘。由于能够维持极长时间的能量平衡，如果以人类的寿命作为参照，它几乎到达了不老不死的境界。在这样漫长的生命里，它并无生存目标，只是漫无目的地游荡在洵山的山谷间，像一台无主的机器。

山海经动物图鉴

犀
[xī]

毛门
×
山海兽纲
×
奇蹄目
×
犀科
×
多角犀属

东五百里，曰祷过之山，其上多金玉，其下多犀、兕，多象。
——《山海经·南山经》

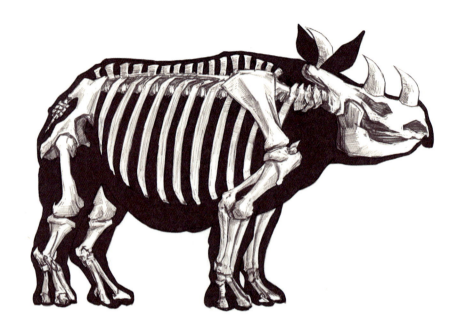

| 犀全身骨骼图

| 犀角雌（左）雄（右）对比图

形态特征

犀是世界上最大的奇蹄目动物，体型庞大笨重，四肢粗短，且均为三趾。犀体长一丈有余，重达万斤。其颜色一般为苍黑色，皮厚且粗糙，于肩腰等处形成褶皱，毛稀少而短硬。犀耳呈尖圆形，头大而长，颈短粗，唇延长伸出，尾巴细短，眼睛也小，和身躯不成比例。雄性头部有实心双角，而雌性的角比较圆平，不明显，导致许多人以为它们没有角。由于犀角从真皮层中形成，因此脱落后仍能复生。

| 与犀共生的牛椋鸟

生活习性

除了牧草以外，犀还会食用水果、藤条和稻米。为了防止寄生虫和昆虫叮咬，它们需要经常在泥地里打滚，并以此来保持身体的凉爽。一种小鸟和它们结成了共生关系，会啄食它们身上的虫子，遇到危险时还会飞起并鸣叫，向与它共生的犀发出警告。

一般来说，犀是独居动物，但在祷过山山谷草场上的犀群已经习惯了群居生活。它们并不标记自己的领地，而是共同守卫集体的领地，会轮流守护集体的水源，赶走其他种类的动物。

栖息环境

犀的分布范围较广，在祷过山、嶓冢山、女床山、厎阳山等均有分布，踪迹遍布四方，大荒之中也能找到它们的栖息地。犀喜欢开阔的草地、灌木林或沼泽地，一般以灌木树叶和草本植物为食。

但祷过山相对比较特殊，这里的石料有被人工切割打磨过的痕迹，山麓一带还遗存有一部分栈道石梯，显然这里曾经是一个繁华的聚落。而在这里游荡的犀也有被人工驯养的迹象。破败的棚舍和石槽散乱在山谷的草地上，显然废弃已久。

山海经动物图鉴

兕

[sì]

毛门 × 山海兽纲 × 奇蹄目 × 犀科 × 独角犀属

东五百里,曰祷过之山,其上多金玉,其下多犀、兕,多象。

——《山海经·南山经》

| 兕的头骨

| 形态特征

兕是一种猛兽，体型与犀牛不相上下。其背脊高耸，胸膛宽阔，四肢粗壮，头大角长。头顶骨骼尤其厚实，角从顶骨生出，弯曲贴近枕骨，又从后脑位置弯曲向斜上方。兕的身上有稀疏的毛发覆盖，大多集中在颈部、小腿和尾巴尖端。其四肢肌肉发达，爆发力强大，奔跑速度非常快，且头顶的角与头骨坚固一体，适合进行冲撞类的攻击，助跑发起的进攻能穿透挑衅它们的对手。

| 栖息环境

兕对栖息环境的要求与犀类似，大多数情况下，在犀的领地附近就能找到兕的群落，例如祷过山、嶓冢山、女床山、厎阳山等。兕对水源的要求比较高，每天要花费大量的时间泡在水里，而且厌恶强烈的光照。因此一般在山北麓的溪谷、沼泽附近能够发现兕的足迹。

| 兕角生长过程

| 生活习性

兕是群居动物，族群庞大，一个族群里最多可达一千多头。它们的社会性非常强，绝不单独行动，一旦落单，不论雌雄长幼，都会表现出极强的攻击性。兕从诞生起头顶就有裸露的呈螺旋状骨质层，在半岁至一岁之间发育成角，并且在之后的岁月中不断增强。因此，即使是兕的幼崽，只要头顶的角已经成型，就拥有了不弱的攻击力。

兕为夜行动物，白天它们会避开烈日，躲在阴凉的树荫里或浸泡在水池中，让身体保持凉爽，到了夜间再外出觅食。它们拥有很强的夜视能力，嗅觉也比较发达，能在夜晚清楚地分辨地表植被。

兕有反刍现象，在夜间会尽可能多地囫囵吞下大量食物，到了白天休息不动的时候，它们会进行反刍，用牙齿精细地磨碎早前咽下的半消化食浆，直到完全嚼碎后才再次下咽，进而彻底消化食物。除摄入大量食物外，它们还需要大量饮水，一个庞大族群对水的消耗速度十分惊人。一旦栖息地的水源干涸，兕就必须集体迁徙到别处，而在这个过程中，可能会发生掉队落单的情况，也就常发生兕与其他凶猛动物发生冲突的事件。

羬羊

[qián]

[yáng]

山海经动物图鉴

毛门 × 山海兽纲 × 偶蹄目 × 牛科 × 羊亚科 × 羬羊属

西山华山之首，曰钱来之山，其上多松，其下多洗石。有兽焉，其状如羊而马尾，名曰羬羊，其脂可以已腊。

——《山海经·西山经》

| 羱羊皮脂（左）与家山羊皮脂（右）对比图

| 栖息环境

钱来山海拔较高，山脚为落叶林，山腰有一大片松树林，再往上只有野草和苔藓，山顶时常有积雪覆盖。羱羊比较适应寒冷的高山地带，食物少时会下到松树林间栖息，但不会再向下移动。

| 形态特征

羱羊的体型约为普通山羊的两倍，下颚有一撮胡须般的鬃毛，浑身的毛发呈棕灰色，短尾，但尾部有流苏似的毛发，看上去像是马尾。羱羊的头骨顶部有一对对称的骨枝，外包一层坚硬的角质，形成犄角；两只角的距离非常近，内里中空，外观呈螺旋状。羱羊的耳朵细长，听觉十分灵敏。

羱羊的身体看上去比较肥大，皮下脂肪很厚，腿较短。其皮毛根部会不断分泌油脂，保持身体的温暖湿润，因此，羱羊能适应极其寒冷干燥的气候环境。

| 生活习性

羱羊擅长跑跳，能在乱石砂砾遍布的高山区域如履平地，就算是悬崖峭壁也能轻易攀登，甚至可以从平地跃到近一丈高的岩石上。

羱羊为群居动物，没有固定的地盘，喜欢集体觅食。由年长强壮的"头羊"带领，不断迁徙。食性比较广，草茎、藤蔓、灌木枝叶、水果都可以作为食物，其采食时间一般为清晨和黄昏，白天有间歇性的觅食行为，但大多数时间在休息，偶尔还会角斗嬉戏。

山海经动物图鉴

毛门 × 山海兽纲 × 偶蹄目 × 牛科 × 牛属

㸲牛

[zuó]

[niú]

又西八十里，曰小华之山，其木多荆杞，其兽多㸲牛，其阴多磬石，其阳䚟琈之玉，鸟多赤鷩，可以御火。
——《山海经·西山经》

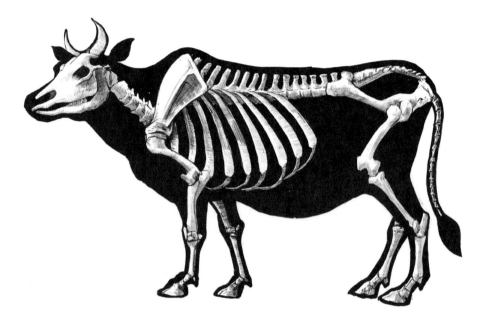

| 柞牛全身骨骼图

| 形态特征

柞牛为山居野牛，体型极大，是一般黄牛的三四倍；骨骼粗大，肩部显著隆起；偶蹄，四肢短而强健；头部宽平，两角间距较大，眼睛大而圆，有长睫毛阻挡风沙；吻部方厚，鼻孔较大。耳朵尖圆，雌雄均有角，角呈黑色，雄性角大，角末端距离远；全身布满棕色短毛，有大量垂皮，集中在胸腹部；尾细长，末端有一簇长毛垂下。柞牛与北部潘侯山的旄牛有血缘关系。

| 牦牛眼睛细节图

| 栖息环境

牦牛一般成群生活在小华山上,适应性强,善于登山,逐水草而迁。小华山上有茂密的树林,北坡是广阔的草场,能够满足牦牛的巨大食量。

| 生活习性

牦牛为群居动物,但群体较小,一般不会超过20头。它们对恶劣气候和环境的耐受度非常高,无论是狂风暴雨,还是酷热干旱,对它们都没有太大的影响。

牦牛食性广泛,无毒性的植物都能消化;干旱时期,还能啃食树皮来获取水分;嗜好矿物盐,对天然析出的盐分非常痴迷。

山海经动物图鉴

葱
[cōng]

聋
[lóng]

毛门 × 山海兽纲 × 偶蹄目 × 牛科 × 羊亚科 × 山羊属

又西八十里，曰符禺之山，其阳多铜，其阴多铁。……符禺之水出焉，而北流注于渭。其兽多葱聋，其状如羊而赤鬣。

——《山海经·西山经》

| 葱聋全身骨骼图

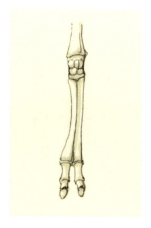

| 葱聋足趾分开示意图

| 形态特征

葱聋外形似羊，不论雌雄均有角，头小颈长；耳大下垂，两耳为枇杷叶状，垂挂在颈侧；吻部较尖，鼻小而扁长，嘴唇端有明显的裂缝；体躯窄平，前躯细小而臀部肥硕。

葱聋头部裸露，毛发稀疏，但身体其余部分铺满了白毛；从头顶起始经过背脊，一直延伸到尾巴，均有赤红鬃毛垂下。鬃毛由瓣状结构组成，呈波浪形，具备绢丝般光泽。

成年葱聋的体型较普通山羊大，体重不过百斤。骨骼纤细，四蹄修长。面相有些凶恶，视力不强，但听力出众。

| 栖息环境

葱聋喜欢在人迹罕至的高山峭壁上生活。符禺山多有矿藏，植被丰富，盛产文茎木和条草。文茎木枝干上有复杂的花纹，果实与红枣类似；条草外形如同婴儿舌，是葱聋最喜好的食物。

| 葱聋的食物文茎果（左）和条草（右）

生活习性

葱聋生性胆小，喜欢三五成群地分散在崇山峻岭的悬崖峭壁附近。由于身形轻巧，它们能迅速攀登陡峭的山岩，也能一跃而过断崖深渊。

葱聋的生长周期比较长，成年时间较晚，三年发情一次，一次持续两天。葱聋的幼崽会跟随母亲长到七八岁，然后开始独立生活。哺育幼崽期间，母兽不会进行交配和生育。因此，整个族群的繁衍速度很慢，符禺山上的葱聋总数不超过五百只。

葱聋一般采食草茎和浆果，经常寻找树根附近的条草，或啃食树梢的文茎果实。条草味似薄荷，可以提神醒脑；文茎果甘甜多汁，还有增进听觉的奇效。葱聋的一对大耳就是依靠文茎果的功效才能搜集远处山间里传来的各种声响的。它们听见任何声响都会选择逃跑，但会刻意保护文茎。在果实成熟的季节，如果有其他人或动物来采摘文茎果，它们就会摆出战斗的姿态，凶猛异常。

山海经动物图鉴

毛门 × 山海兽纲 × 啮齿目 × 豪猪科 × 长牙属

豪 [háo]

彘 [zhì]

又西五十二里,曰竹山,其上多乔木,其阴多铁……有兽焉,其状如豚而白毛,大如笄而黑端,名曰豪彘。
——《山海经·西山经》

| 豪彘全身骨骼图

| 形态特征

豪彘，顾名思义，即身上毛如针刺的野猪。这种动物在今天依旧保持着一定的数量，而且仍能令人大呼神奇。

现今的豪猪属于啮齿类动物，头部像鼠类。而这里要介绍的豪彘头部则与野猪相似，吻部很长，约占总身长的三分之一，雄性还有两对獠牙从口裂两侧伸出，弯曲指向天空。它们四肢短小，三趾，身上毛发较为稀疏，面部和眼周有暗色斑纹。

豪彘从头顶开始，一直到尾尖，都竖着层层叠叠的棘刺。短的一两寸，长的有五六尺。每根棘刺的主体都是白色，只有尖端为黑色，内部中空。豪彘的尾巴很短，隐藏在棘刺下面。走动的时候，尾巴会甩动起来，带着满身的棘刺微微摇摆，发出沙沙的声响。

| 栖息环境

豪彘栖息于竹山，山上有一片茂密的丛林。它们喜好在森林里或森林附近的开阔草地上打洞居住。它们对温度和空气的要求比较高，会选择海拔相对高的山腰地带，讨厌潮湿的沼泽区域。

| 豪彘喜好的菌类

| 生活习性

豪彘是夜间行动的独行侠，嗅觉极其发达，能灵活地用鼻子探出食物的方位，哪怕是埋在地下的植物根茎、种子等，也一样逃不过它们的"法眼"。它们的食性很杂，而且食量大，夜间会不断地用前肢或鼻子翻开土壤或杂草，寻找可以吃的东西。它们的食物包含各种植物的根、嫩枝、果实、种子、幼苗，还有野生菌类等等。

穴居，所有的成年豪彘都自己打洞独自居住，而且经常"搬家"，遗弃本来的洞穴。有了幼崽的雌性豪彘，会带领幼崽一起生活，但雄性不会加入家庭，所以当幼崽数量较多时，雌性会和其他一些带崽的同类结成联盟，共同哺育幼崽。

一旦遇到敌人，豪彘就会转过身，亮出后背上满满的尖刺，让对方无从下手。如果双方的体型不算悬殊或者被逼至绝境，雄性豪彘会用自己的獠牙作为武器，主动发起攻击。雌性豪彘虽然没有獠牙，但也会奋勇向前去咬对方，即使不能致命，依然可以起到有效的伤害和震慑作用。

山海经动物图鉴

猛
[měng]

豹
[bào]

毛门
×
山海兽纲
×
食肉目
×
猫科
×
豹属

又西百七十里，曰南山，上多丹粟。丹水出焉，北流注于渭。兽多猛豹，鸟多尸鸠。

——《山海经·西山经》

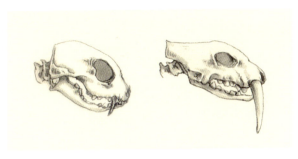

| 猛豹头骨（左）与剑齿虎头骨牙齿（右）对比图

| 形态特征

猛豹身上主要有三种颜色，腹侧为乳白，背侧为浅黄，身上则遍布黑色的斑纹。猛豹的体型较小，相比于熊、狮、虎等大型猛兽来说，它们只比山猫大上一圈；头圆、耳短小；尾巴很长，超过体长的三分之一；四肢强健有力，爪锐利，伸缩性强；眼睛比较奇怪，无法分辨颜色，而且对强光过于敏感，所以在白天，它们几乎看不见东西。不过，即使在夜间行动，它们也只能判断出黑白灰三种颜色；上颌骨下方伸出两根长牙，类似于剑齿虎，但比剑齿虎的牙小许多；牙齿呈棱锥状，在捕猎时能有效地造成伤口快速出血，从而增强杀伤力。

| 栖息环境

猛豹的栖息环境多种多样，从低山、丘陵至高山森林、灌丛均有分布。据目前所知，它们多出没于西部南山的山顶密林，偶尔也会到山麓的灌木丛和竹林地带中去。南山从深秋开始就有降雪，但普通的寒冷并不会影响它们的生活。

| 生活习性

猛豹生性孤僻、独居，而且非常安静，几乎不会发出叫声；体能出众，嗅觉和听觉都异常灵敏，能够游泳和爬树，对各种生态环境都能适应。它们一般在夜间行动，捕食山羊、野鹿、野猪及猿猴等森林生物，偶尔也会捣毁鸟巢，吞食禽鸟的蛋或幼鸟，是一种食性广泛、胆大凶猛的肉食类动物。由于体型不大，攻击力不及狮虎一类的大型猛兽，猛豹在自己捕食的同时，还要提防其他的大型捕猎者偷袭，免得自己成为别人的盘中餐。因此，它们大多躲在树上，依靠茂密的枝叶隐藏自己。不过，它们有自己的巢穴，一般是天然的岩洞，洞口会堆放树枝、石块等，隐蔽性很高。

猛豹的繁殖季节在冬末春初，彼时，独居的猛豹才会相互联系，雄性会有激烈的争雌行为，它们会相互争斗撕咬，直到一方落败逃走。幼崽一般在夏初诞生，跟随母豹生活半年至一年后开始独立。

山海经动物图鉴

熊

[xióng]

毛门 × 山海兽纲 × 食肉目 × 熊科 × 熊属

又西三百二十里，曰嶓冢之山，汉水出焉，而东南流注于沔；嚣水出焉，北流注于汤水。其上多桃枝钩端，兽多犀、兕、熊、羆，鸟多白翰、赤鷩。

——《山海经·西山经》

| 熊掌细节图

| 山地垂直迁徙示意图

| 形态特征

熊的形象大家都不陌生。它们体型很大，比两个成年男人加起来还高，体重约500斤，头部宽圆，吻部较短，鼻端裸露，对气味非常敏感；眼睛小，视力很差，近前三尺的位置都看不清楚；除胸部有一处明显的倒人字形浅黄色斑外，全身铺满富有光泽、漆黑厚实的皮毛，轻易不会被水打湿，临近冬季会换毛，新换的皮毛更具保暖的效果；鼻面部呈棕褐色，颊后及颈部两侧的毛比较长，形成两个半圆形毛丛，胸部毛短。

它们身体粗壮、四肢有力，前足腕垫发达，与掌垫相连，前后肢都具五趾，指甲不可以自由伸缩，后肢可以支持一段时间的直立行走；肩部较平，臀部大于肩部；尾巴很短，以至于常被忽略。

| 栖息环境

熊的食量很大，因此对栖息地的选择会受到食物资源的影响。一般情况下，它们喜欢栖息在高山上、溪流附近的森林中，远离人类的村寨和城池。

熊有垂直迁徙的习惯，夏季栖息在高山，入冬前从高地逐渐转移到海拔较低处，甚至是干旱河谷的灌丛地区。

| 熊爱好的食物——蜂蜜

| 生活习性

熊为杂食性动物，以植物为主，食物类别繁杂，包括各种植物的芽、叶、茎、根、果实，也包括菇类、虾、蟹、鱼类、无脊椎动物、鸟类、啮齿类动物和腐肉等。此外，它们还会挖掘蚁窝和蜂巢，吃蚂蚁和蜂蜜。食物稀少的时候，它们会主动攻击较大型的动物，如羊、鹿，甚至是虎、豹一类的食肉动物。由于视力不佳，熊行动缓慢，但很善于攀爬。熊一般在晚上活动，白天则在树洞或岩洞中睡觉。熊的水性也不错，能够潜游入河流湖泊中抓鱼。

熊有冬眠习惯，秋季会大量进食来储备脂肪，整个冬季蛰伏洞中，处于半睡眠状态；冬眠时，体温、心率会自动降低，以减缓身体的新陈代谢；至翌年惊蛰时，方苏醒出洞。

熊的力气很大，能够一掌拍死一头鹿，凶蛮起来，可以撼动参天大树。在传说时代，很多人崇拜它的力量，将它的形象作为图腾或族徽，以期为自己的族群带来力量与勇气。《史记》中有载，"……教熊罴貔貅貙虎，以与炎帝战于阪泉之野"，其中的熊正是黄帝部族的一支。

山海经动物图鉴

毛门 × 山海兽纲 × 食肉目 × 熊科 × 熊属

羆

[pí]

又西三百二十里，曰嶓冢之山，汉水出焉，而东南流注于沔；嚻水出焉，北流注于汤水。其上多桃枝钩端，兽多犀、兕、熊、羆，鸟多白翰、赤鷩。

——《山海经·西山经》

| 罴骨骼图

| 罴的头骨

| 形态特征

罴也是熊科的成员,体形比熊大。毛色为深棕色,胸前没有倒人字形的标记,毛发粗密且长,秋季有换毛期。罴的吻部比较宽,有42颗牙齿,包括上下两对犬齿,长而尖利,上颌骨的尖牙比下方的长出约三分之一。

罴的肩背上隆起厚厚的肌肉,脚掌更宽更大,前脚掌长于后脚掌,借助于肩背处发达的肌肉,前臂十分有力;指爪很长,因为不能随意伸缩而磨得很钝,但杀伤力不减,能对树木、猎物等造成极大的伤害;臀部比肩膀厚而圆润,可以像人一样坐下来;尾巴短小,常被忽略。

罴的耳朵小且竖起,听觉不及熊;不过,嗅觉却要比猎犬还灵敏7倍,视力极佳,即使在水中也不受影响,捕鱼时能够看清水中快速游动的鱼类。

| 栖息环境

罴的适应力很强,从荒漠边缘至高山森林,甚至在冰原地带,都能顽强地生活。除了嶓冢山以外,海外大荒也有许多罴,且经常与熊为邻。

嶓冢山上的罴主要栖息在山腰的森林,林中有沼泽、河谷等多种环境类型。罴也像熊一样,随着季节的变化,会有垂直迁移的现象,夏季在海拔高的地方活动,春秋季则向低海拔地带移动。

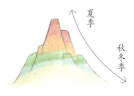

| 山地垂直迁徙示意图

| 罴坐姿背影图

| 生活习性

罴同样是杂食性动物，食谱会随着季节的不同发生变化。一般来说，植物性食物占60%以上，包括各种植物根茎、块茎、草料、谷物及果实等；其余则为动物性食物，例如昆虫、啮齿类、有蹄类动物（如麋鹿、驯鹿、驼鹿、野牛）、野猪、鱼和腐肉等。罴的食量很大，又有冬眠习性，因此在冬至之前会疯狂囤积脂肪，有时还会收藏部分食物。

由于体型庞大，罴几乎没有天敌，因此白天或黑夜都有可能活动，它们不耐炎热，正午时都会躲在窝里或凉爽处休息，这也是罴一般把窝选在阴凉隐蔽的山坡、岩石或大树下的原因。它们会自己挖洞，搜罗一些干草之类的东西铺进窝里，这样一个窝有时会用好几年。

通常情况下罴也是单打独斗派，不论雌雄都有固定的领地，会在树上留下抓痕、咬痕等做标记，但不同性别的罴之间的领地范围可以重合。罴每年的繁育期在春末，幼崽会在初秋诞生，并跟随母罴生活三到四年。照顾幼崽的罴会变得异常凶猛好斗，甚至出现"杀过"现象，攻击任何闯进领地的动物。由于哺育期比较长，为了让雌罴们尽早进入交配阶段，雄罴会找机会杀死一些幼崽。

罴也是黄帝部族的图腾动物之一，先民们崇尚它们的武力，认为穿戴它们的皮毛能够获得力量与勇气。

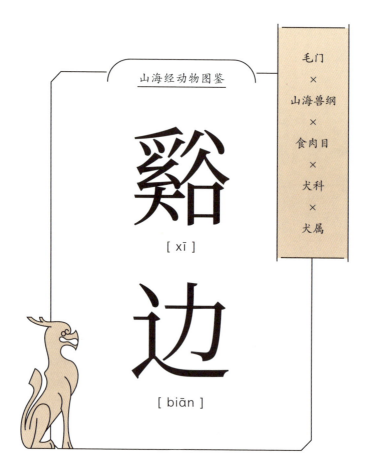

山海经动物图鉴

毛门 × 山海兽纲 × 食肉目 × 犬科 × 犬属

豀边

[xī]

[biān]

又西三百五十里，曰天帝之山，多棕枏，下多菅蕙。有兽焉，其状如狗，名曰豀边，席其皮者不蛊。

——《山海经·西山经》

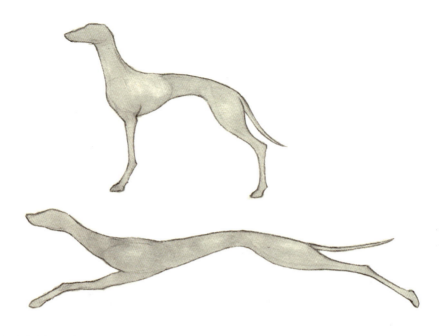

| 豾边的变形示意图

| 形态特征

豾边是一种肢体细长的大型犬,骨骼非常柔韧,关节有很强的变形能力,可以自由伸缩或改变密度。因此,它们有变换身体形态的能力,既可以摊开四肢将身体撑开,也可以拉长身体或四肢。在不改变身体形态的情况下,豾边的身长在3~5尺之间,体重只有10~15斤,可谓身轻如燕;整体呈流线型结构,背部微微拱起,韧性极强,在奔跑时能为它提供帮助,可以适应任何地形。

豾边头部较小,吻部又尖又长,鼻头为白色;额头较平,折耳下垂,脖颈较短;毛短,背部为黑色,腹部、四足和尾尖为白色;皮毛油光发亮,皮肤的伸缩能力与其骨骼能力相匹配;尾巴细长,几乎和身体等长。

| 栖息环境

豾边可以适应各种地形环境,包括草原、荒漠、丘陵、山地、森林以及冻土带等。而且,它们对气候的适应性也相当强,无论酷暑严寒,都不会影响它们的行动能力。最初发现它们的地点是天帝山,山上自然环境优越,树木繁盛,香草遍地,还有大量的禽鸟,水源纯净、食物充足,可谓人间天堂。

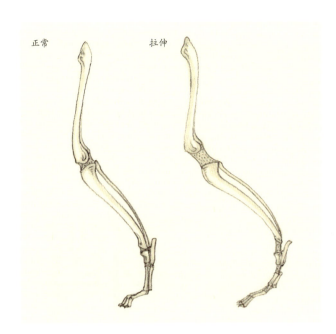

| 天帝山上生长的蒽草　　| 谿边的腿骨结构

生活习性

谿边基本在白天活动,但是并不受到夜晚的影响。大多数时候,它们习惯于单独行动,母兽在教育幼崽时,可能会出现以家庭为单位的合作。谿边是穴居动物,喜欢靠近水流的土坡,但不喜欢自己挖洞,而是霸占獾类的洞穴,有时它们也自主扩建霸占来的洞穴,以容纳幼崽和囤积食物。

谿边的寿命很长,虽不及九尾狐,但也是普通人类的好几倍,因此每隔十年才繁育一次后代。母兽独自哺育幼崽,并教授它们生存技能直到独立,这段时间一般有7~9年。幼崽习得的技能包括捕猎、躲避敌人以及辨认食物和药物。

肉类在谿边的食物中占90%以上,包括各种食草动物、啮齿动物、鸟类甚至是昆虫;还有10%左右的食物为植物,如果实、药草、根茎等。谿边在分辨药草方面有很高的天赋,不仅会吃药草来杀灭肠胃中的寄生虫,还会嚼碎草叶敷在伤口上治疗,甚至会采集香草放在洞穴中,以保持洞穴的洁净和舒适。

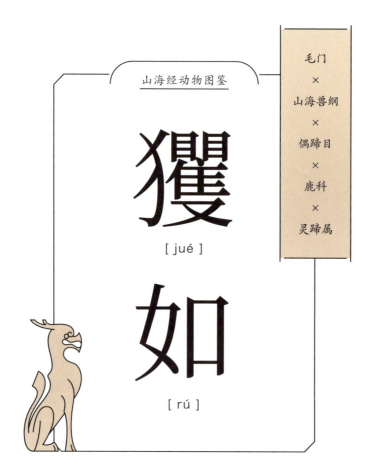

山海经动物图鉴

毛门 × 山海兽纲 × 偶蹄目 × 鹿科 × 灵蹄属

玃
[jué]

如
[rú]

西南三百八十里,曰皋涂之山,蔷水出焉,西流注于诸资之水;涂水出焉,南流注于集获之水。其阳多丹粟,其阴多银、黄金,其上多桂木……有兽焉,其状如鹿而白尾,马脚人手而四角,名曰玃如。

——《山海经·西山经》

| 玃如全身骨骼图

| 形态特征

玃如的体型与常见的梅花鹿差不多，头顶有四股树杈状的角，每一股上分出两个叉，头部略圆，面部较长，鼻端裸露，眼大而圆，眉骨凸起，耳朵尖圆如叶片状，颈部修长灵活，四肢细长，前肢足部构造类似灵长类，灵活性非常高，可以像灵长类一样抓握物体，后肢则完全符合鹿类的构造，蹄分两趾，但它们可以用后肢支撑身体，直立起来用前肢摘取树上的果实；尾巴较短，边缘有刺状长毛，形如捕蝇草的叶片；体毛稀疏且短，通体呈银白色，背部毛色为棕黄色，腹部为白色，背脊两旁和体侧下缘嵌着许多排列有序的白色斑点。

玃如头顶的角虽然为角质，但尖端有柔软的皮肤组织，具有触觉和感知冷热的能力，它的角能够敏锐地察觉到周围的风吹草动，以及丈量树的高度和宽度。同时，这四个角的主体部分非常坚固，在求偶季节可以作为战斗的武器。

| 栖息环境

玃如能够适应树林、沼泽、盐碱地和海岛，但比较喜爱森林边缘的山地草原。皋涂山上的树林边缘有一片河谷草原，玃如成群地在此休憩。

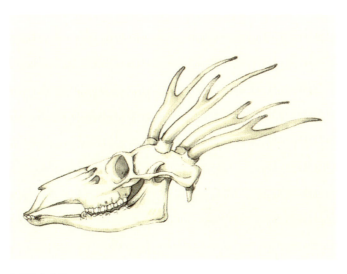

| 貜如的头骨

生活习性

貜如身形轻盈、行动敏捷，听觉、嗅觉均很发达，视觉稍弱；胆小易惊，有跟随首领的行为，一旦首领发出指令，如奔跑或跳跃，它们会跟着做出相同的动作，而不会考虑所处的具体环境或境况。

它们对温度的感知比较敏锐，春夏季节集结在山北，采食植物嫩枝叶、幼芽、藤蔓、根茎等。前肢的独特构造能帮助它们挑选喜欢的食物，如草莓、浆果、树莓、野山楂等，也能够利用工具挖掘植物的根茎，比如何首乌、明党参等。到了秋冬季节天气转凉，它们便整体转移到山南坡的草地上。

在繁殖季节，雄性为了吸引雌性的注意，会进行角牴逐斗，以表现自己的强壮和勇猛。每只雌性一次只会产下一只幼崽，由族群共同抚养，雄性会花半年时间帮助雌性照顾幼崽，之后雄性可能会再次离开族群，回到自己开拓的领地。

貜如大多为群居，成年雄性在求偶期和老年时期会回到族群内。

山海经动物图鉴

毛门 × 山海兽纲 × 偶蹄目 × 牛科 × 㸎属

㸎

[mǐn]

又西百八十里,曰黄山,无草木,多竹箭。盼水出焉,西流注于赤水,其中多玉。有兽焉,其状如牛,而苍黑大目,其名曰㸎。
——《山海经·西山经》

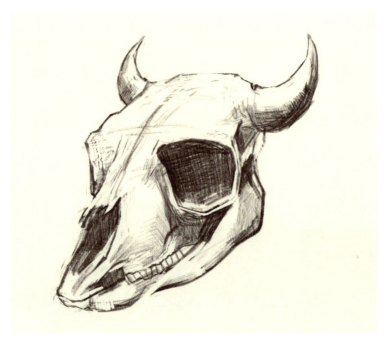

| 羚的头骨

| 形态特征

羚的外形很像牦牛,同样身躯庞大,四肢粗短。二者的区别在于,羚的头骨较小,头顶向上凸起,一对角短小而弯曲,显得没有攻击力。它们的耳朵呈弯月形,离眼睛位置较近;眼眶很大,而虹膜基本占满眼眶,双眼分别位于头骨两侧,视野基本不重合;皮厚,脊背上有褶皱,颈下有垂皮。

羚体格粗壮,体毛稀疏;蹄大而坚实;膝关节运动灵活,耐浸泡,能在泥浆中长时间行走;表皮的汗腺不发达,需要时常浸泡在河水散热;尾巴较长,末端有簇状长毛,多用于驱赶蚊虫;全身为苍黑色,在树丛和水中能有效地隐蔽自己。

| 栖息环境

羚生活在黄山脚下,这里山坡较缓,箭竹丛生。山下有盼水流过,水流速度较缓,滩涂遍地,气候四季温和湿润,非常符合羚亲水的习性。

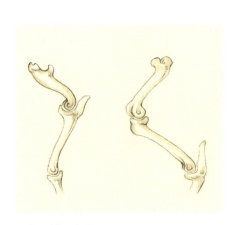
| 球形关节示意图

| 普通黄牛（上）与犨（下）的体型对比图

| 生活习性

犨喜欢结群活动，小群一般有10~20只，大群则有上百只。它们喜欢到泥潭打滚，借以散热和防止昆虫的叮咬。犨的视觉非常敏锐，在浑浊的水中能看清事物；嗅觉比较发达，夜间也能准确地找到食物。因为不耐热，它们一般只在夜晚活动，白天就泡在水里或躲在岸边的阴凉地休息。犨的进食时间是清晨和傍晚，主要食物是草叶和水生植物，在春季还食用些新发的竹叶和嫩笋。

它们行动迟缓，不擅长跳跃，奔跑速度慢，因此在面对敌人时不会选择逃跑，而是和同伴挤在一起，把头角一致冲外，让捕食者无处下口。大多数时候，犨性情都比较温和，但在发情期时较为冲动易怒，可能会和同类发起冲撞，也有可能主动攻击其他动物。

山海经动物图鉴

虎

[hǔ]

毛门 × 山海兽纲 × 食肉目 × 猫科 × 豹属

西南三百里,曰女床之山,其阳多赤铜,其阴多石涅,其兽多虎、豹、犀、兕。

——《山海经·西山经》

栖息环境

虎是典型的山地林栖动物,从热带雨林到亚寒带的针阔叶混交林,都能很好地生活,常常出没于山脊、矮林灌丛和岩石较多的山地,以便捕食;在女床山、厎阳山、孟山、鸟鼠同穴山等地都有分布。

形态特征

虎是一种常见的大型猛兽,被誉为"兽中之王"。它们体态雄伟,头圆吻宽,眼大有神,颈部粗而短,几乎与肩部同宽;四肢强健,肌肉发达,指爪极为锋利,可以伸缩,配合长而尖锐的犬齿,具备强大的攻击力和破坏力;全身整体为橙黄毛色,十分鲜亮,腹部及四肢内侧为白色,背面有黑色条纹,尾上约有15个黑环,眼上方有两点白色区域,故有"吊睛白额虎"之称。

生活习性

虎多无固定巢穴,常独自在山林间游荡寻食。活动时间一般在黄昏到夜晚,白天多选择阴凉处潜藏休憩;不喜欢炎热的气候,夏季常常泡在水塘中,善游泳,不擅长爬树,因为身体太重。

虎是标准的肉食者,食物囊括了绝大多数的哺乳动物,不论其体型大小,都可作充饥之用;一次的进食量最大可以达到体重的五分之一左右,之后能六七天不再进食。如果猎物过大,它们还会把吃剩的部分藏在树洞或岩缝里。有时为了帮助消化,虎也会吃些浆果或草叶,但不能消化纤维素。

虎的脚上长着厚厚的肉垫,走路没有声音,攻击猎物之前会伏低身子,慢慢靠近,然后突然跃起,先用爪子抓穿猎物的背部,把猎物拖倒在地,再用锐利的犬齿紧咬住它的咽喉,使它窒息,直到猎物死亡才松口。

山海经动物图鉴

狌

[shēng]

狌

[shēng]

界门
×
畏形纲
×
灵长目
×
猩猩科
×
狌狌属

南山经之首曰䧿山。其首曰招摇之山，临于西海之上，多桂，多金玉……有兽焉，其状如禺而白耳，伏行人走，其名曰狌狌，食之善走。
——《山海经·南山经》

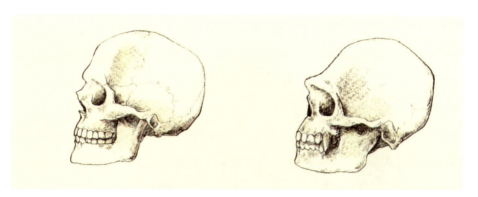

| 人类（左）与狌狌（右）头骨对比图

| 形态特征

狌狌属禺门，是黑猩猩的近缘种。成年狌狌的形体，可达到一个成年男性人类的身体高度。狌狌全身覆盖短而浓密的黑色或者墨玉色毛发，两只耳朵覆盖着银白色的毛发。相较于人类，狌狌的耳朵要大得多，且向两侧突出。狌狌眼窝深陷，眉脊很高，面部、手足皆为裸露肤色，肤色接近赭色。它们头顶的毛发向后，下颌有类似胡子的卷曲毛发，颜色较体毛浅。犬齿发达，长度是人类犬齿的三倍左右。没有尾巴。

狌狌的面部结构特征，接近于南荒人种，整体的身体结构特征也与南荒人种相似。只是狌狌的手臂比腿略长，二者的长度比例约为6∶5。这个体态特征与人类不同。狌狌的毛皮非常坚韧，具有良好的防御性，四肢肌肉异常发达，适于长途奔跑。

| 栖息环境

狌狌主要栖息于雒山山脉之首——招摇山上的树林中，狌狌本身的生存适应力极强，可以适应绝大多数气候环境。

招摇山上生长着成片的桂树，其中有一种植物比较特殊，名为迷穀。枝干类似构树，开着淡黄色的小花。花瓣会发出轻柔的光芒，带有淡香。

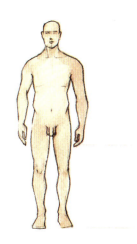
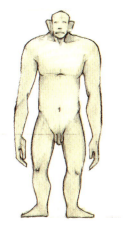
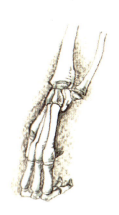

| 人类（左）与狌狌（右）手脚比例对比图

| 狌狌指节弯曲着地骨骼图

| 生活习性

狌狌为群居性动物，大多是20只结为一个族群共同生活，也有30~50只组成族群的情况。首领由族群中最强壮的狌狌担任，但其社会结构不如大猩猩或者人类那么紧密。族群中存在一定的等级关系，成员对首领会有让路、点头、小声啼叫等顺从的举动。首领则会用手抚肩膀的方式表示答应和认同。

狌狌是一种半树栖动物，爬树能力比大猩猩强，但弱于红毛猩猩。而且也不会用臂行法在森林里行动，多在地上四肢并用，以弯曲的指节支撑，或者如人类一样直立行走。狌狌通常在拂晓时分捕猎，上午进食，下午休息和玩耍。狌狌似乎具有一定程度的原始文明，能使用一种特殊的符号进行记录，这些符号所传达的意思，人类目前还无法解读，但是这些符号中具有一定的规律，似乎还具有一定的语言逻辑性。

| 迷榖开花图

山海经动物图鉴

白
[bái]

猿
[yuán]

禺门
×
禺形纲
×
灵长目
×
混世四禺总科
×
通臂猿属

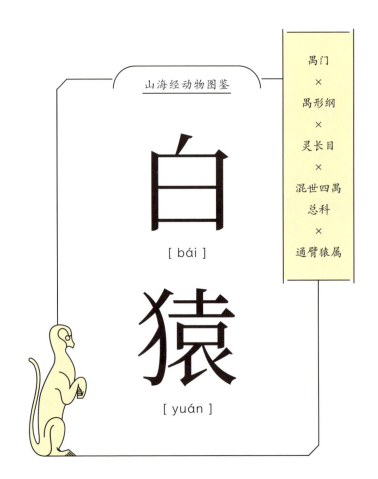

又东三百里，曰堂庭之山。多棪木，多白猿，多水玉，多黄金。
——《山海经·南山经》

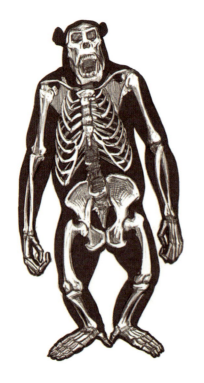

| 白猿全身骨骼图

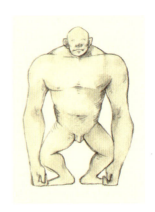

| 白猿臂长示意图

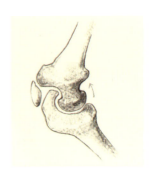

| 白猿膝关节示意图

| 形态特征

很多人认为猿应该属于毛门,因为它们确实有非常浓密的毛发。但其实它们不属于"蠃、鳞、毛、羽、昆""五虫纲"的范畴,而是"四禺"之一,被称为"通臂猿猴"。据说,这种猿猴"拿日月,缩千山,辨休咎,乾坤摩弄",是具有非常强大的战斗力的物种。

白猿外形类似银背大猩猩,但是整体比银背大猩猩的体长要大。直立的白猿可以达到一个"大人国"成年男子的身高。由于白猿的膝盖无法真正伸直,所以实际身高比看上去更高一些。白猿的臂幅比身高长很多,可以长出1/4。白猿的体型非常雄壮,肌肉极其发达,尤其是胸背肌群和前肢肌肉。白猿的面部、手足处是裸露的棕红色皮肤,周身覆盖着银白色的毛发。与狌狌短粗的毛发不同,白猿的毛发长而飘逸,具有丝绸般的光泽。白猿的额头比较高,下颌骨比颧骨突出。

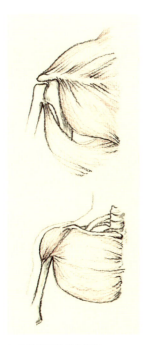
| 白猿胸背肌肉局部图

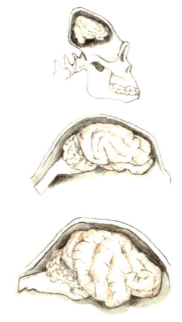
| 白猿大脑发育示意图

| 栖息环境

白猿的栖息地分布广泛，如堂庭山、发爽山等。

一般来说，白猿主要生活在茂密的树林中，因为体型庞大的原因，不会爬到树上栖息，但受树林中丰富食物资源的吸引，它们会克服树木对行动的限制，选择在树丛之间建筑巢穴。

| 生活习性

白猿是纯粹的素食者，每天要吃掉相当于一只成年绵羊体重的植物。它们具有极其发达的消化吸收系统，对各种植物纤维都有极好的消化能力。

白猿的智力水平很高，甚至可以达到人类的水平。有些白猿通过不断学习与模仿，甚至融入了人类社会中，最著名的就是被陆压道人的斩仙飞刀杀死的猿洪。

白猿是群居动物，大约20只就会结成一个族群，也有比较大的族群，可以达到35只左右。白猿具有极强的领地意识，一旦出现领地入侵者，它们就会采取武力措施，迫使其离开领地。白猿首领一定是族群中战斗力最强的，同时智力水准也相当高，肩负着带领族群寻找食物、水源和保护族群安全的任务。

山海经动物图鉴

长
[cháng]

右
[yòu]

禺门
×
禺形纲
×
灵长目
×
混世四禺总科
×
六耳猕属

东南四百五十里,曰长右之山,无草木,多水。有兽焉,其状如禺而四耳,其名长右,其音如吟,见则其郡县大水。

——《山海经·南山经》

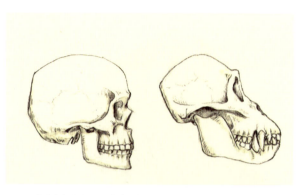

| 人头骨（左）与长右头骨（右）对比图

| 长右手掌细节图

| 形态特征

长右的体长不超过人类六七岁儿童的身高。它们的头部和肩背覆盖着棕色长毛，腹部毛发则是银白色；面部、手足等无毛，呈较深的橙红色；眉弓较高，眼窝很深，吻部突出，两颌粗壮，四颗犬齿非常突出，长度是人类的三四倍；尾巴较短，不足身长的一半。长右的眼距较窄，使得两眼视域均向前，加上眼眶较大，瞳孔伸缩能力强，所以视觉比较发达，能够立体化地处理空间、距离和色彩的感受。

长右有两对白色的耳朵，并存在向三对耳朵发展的趋势。长右在幼年时期只有一对完整的耳朵，随着成长，长右的耳下会出现凸起，像是耳朵的分叉，成年之后，凸起就长成了一对新耳。耳朵内部与颊囊相连，可以增强耳内空间，并调节收音效果，使得它们能够听清很远的声音。鉴于视觉与听觉都十分发达，长右善于观测灾难的来临。传说中的六耳猕猴有"善聆音，能察理，知前后，万物皆明"的特点，这在长右的身上也有所体现。

| 栖息环境

长右的名字是根据它们居住的长右山而化用的，那里寸草不生，只有数不清的细小水流。长右是守在那里的唯一生物，因此并不需要躲避天敌，但它们还是会利用石块堆积成坡状的围墙，使得长右山看上去像一个布满岗哨的堡垒。

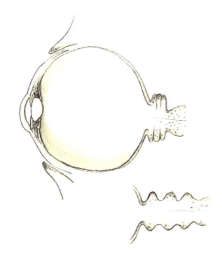

| 眼球构造图　　　　　　　　　　| 内耳构造图

| 生活习性

长右习惯集群生活，山上的所有个体都集结在一起，数量可达上百只。每隔两三年，集群内会通过决斗的方式选出首领，由首领分配食物和职能。由于山上没有草木，长右形成了非常成熟的分工机制，一部分会成群结队地去往其他地方，收集水果、野菜，有时还包括昆虫、鸟蛋、小动物等，带回山上等待首领分配；另一部分则分散在山头各处当"哨兵"；其余的就在聚集地照顾族群中的老弱和幼年个体。

长右亲近水源，喜欢泡澡，会花费大量的时间泡在水中。而且它们有审美观念，会收集圆石、矿物等做成装饰，以区别自己和其他个体。除此之外，它们还形成了一些原始的崇拜观念。比如水中的月亮倒影，日食和月食等天象，都会引起它们的关注，并做出舞蹈似的动作，令人不禁怀疑它们是不是吸收日月精华，打开灵智的妖仙。

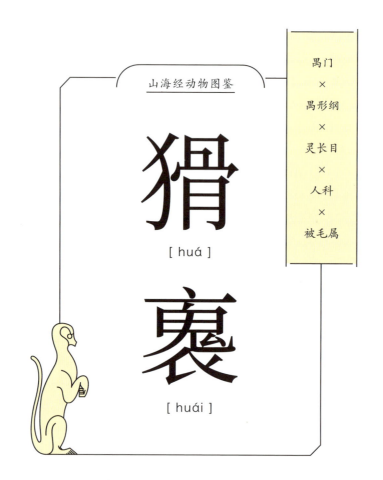

山海经动物图鉴

猾
[huá]

褢
[huái]

禺门 × 禺形纲 × 灵长目 × 人科 × 被毛属

又东三百四十里，曰尧光之山，其阳多玉，其阴多金。有兽焉，其状如人而彘鬣，穴居而冬蛰，其名曰猾褢，其音如斫木，见则县有大繇。
——《山海经·南山经》

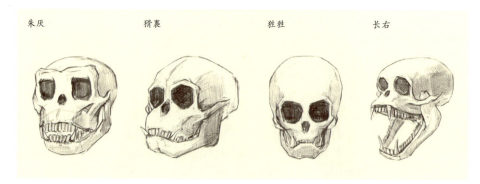

| 禺门动物头骨对比图

| 形态特征

相比长右，猾褢的外形更接近人，大多数时间能够直立行走，攀爬与在树木间跳跃飞荡的能力并未退化。

它们额头较短，头顶低平，眉骨非常粗壮，鼻子大而扁，口裂较大，有从下向上生长的獠牙凸出，裸露在嘴唇外；面部和手足无毛，呈现干瘪枯瘦的棕红色，肌肉薄而坚韧，能瞬间爆发很强的力量，擅长迅速奔跑和攀援；身上的其他地方都覆盖着一簇簇的短毛，毛发较硬，呈棕黄色，根部中空致密，可以防水。

猾褢的视觉比长右更为发达，除了能极快地识别静态事物以外，还有绝佳的动态视力，可以捕捉到快速移动的物体，甚至能预测其运动的轨迹。它们的听觉也比较敏锐，虽然耳廓相对长右较小，但比人类灵活，能转动，收集更广范围的声音。

| 栖息环境

猾褢主要居住在尧光山的山峰和高处的树梢上，喜欢眺望远处，但也喜欢生活在石山的林灌地带，特别是那些岩石嶙峋、悬崖峭壁，又夹杂着溪河沟谷、攀藤绿树的广阔地段。它们对环境的适应力很强，喜欢光照充足的山南高处，也很耐寒。因此，它们不会轻易下山，接近人类的村庄。

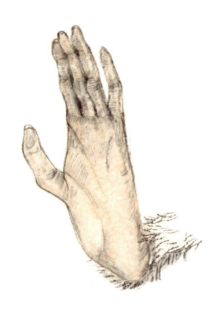

| 猞猁手足细节图

| 生活习性

猞猁是群居动物，社会结构比较简单，有一点"军事化"管理的意味。猞猁不以家庭为单位，而是3~5个个体组成小群体进行活动。这样的小群体中，性别一般比较单一，年龄差距也比较小。不论是小群体行动，还是聚族活动，它们都会从每个小群中抽调一名来放哨，如果发现异常情况，就会发出刀斧砍木头一样的声音，提醒群体转移。而整个群体也能够迅速反应，根据提示声音集结或分散。

猞猁擅长观察，警觉性很高，领地范围不大；食性杂，会采集各种树叶、嫩芽、野菜、果实，并捕捉游鱼、小鸟、蝙蝠、野兔等动物；会使用山洞囤积食物，并在洞口做记号，冬季时节，每个小群体会躲进相应的洞穴，减少外出活动。食物短缺的时候，猞猁会有偷盗和抢劫其他同类洞穴的情况，引发两个甚至多个群体之间的争斗。

猞猁会花费大量时间远望和倾听，不断处理收到的信息，并自发地预测可能发生的事件，然后下意识地躲避危险。猞猁能够最早预感到自然灾害，并在它来临之前迅速做出应对，可以说是最有安全意识的动物。

山海经动物图鉴

禺门 × 禺形纲 × 灵长目 × 长臂猿科 × 长臂猿属

嚣

[xiāo]

又西七十里,曰翰次之山,漆水出焉,北流注于渭。其上多棫檀,其下多竹箭,其阴多赤铜,其阳多婴垣之玉。有兽焉,其状如禺而长臂,善投,其名曰嚣。

——《山海经·西山经》

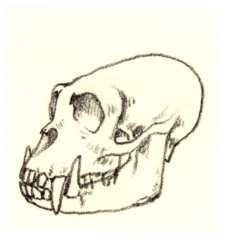

| 𤝞的犬齿

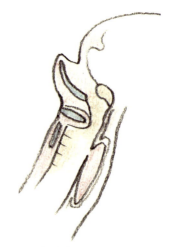

| 𤝞的音囊示意图

| 形态特征

𤝞的手臂与其身高基本等长,除了脸和手足裸露无毛之外,全身披满白金色的毛发。它的体型接近于人类五六岁的幼儿,头圆无尾。相比手臂,它的腿和身体的比例较为和谐,脚掌相对手掌要短,身体纤细,骨骼轻盈,四肢的抓握力都很强。

𤝞的手部一般掌心为黑,背面发白;面部以黑色为底,五官周围有白色纹理,远远看起来像骷髅;牙齿和一般猿类相似,犬齿较长而且上下交叉;没有颊囊,无法直接储存食物,一般会选择快速吃完;喉部有音囊,善于鸣叫,叫声音调很高,听来十分凄厉。

| 栖息环境

𤝞栖息在瑜次山上的树林里,是严格的树栖动物,喜欢高山陡坡和高大密集的树木;在冬季时会向山脚迁移,到了春天又会回到高山地带。

| 嚣的钩状指甲

| 生活习性

嚣以小家庭为单位，一般由父母带领半成年和幼年期的孩子生活，数量多在3~8只之间。一家之主由唯一的成年雄性担任，负责守卫族群的领地、食物和幼崽。嚣的家庭关系非常稳固，实行一夫一妻制，幼崽成熟时间晚，要跟随父母一起生活七八年，甚至十年以上，因此家族成员之间一般都很和睦、紧密，它们一同采集果实，共同防御入侵。每个家庭的领地比较固定，每天成年的雄性都会巡视一次领地的边界。等到幼崽成年之后，就会离开家族，自己开辟新的领地。

嚣在夜间会睡在高处的树杈上，哺乳期的幼儿则攀附在母亲的身上，由母亲用后肢固定，以防掉落。白天时，它们集体出动，在高大的树冠中上部觅食。利用手臂的交替摆动，它们可以轻松地将自己的身躯抛出，荡到下一棵树上。其后肢爆发力很强，前肢的指甲呈钩状，即使没有可供抓握的细枝，也能深深地嵌入树干中，令它们在任何环境下都能快速移动。

嚣食用各种水果、坚果和植物嫩芽，偶尔也会捕食昆虫和小鸟来补充营养；眼睛成像速度极快、定位准确，所以能突然跃起，只手抓住空中的飞鸟。除此之外，它们还会利用简单的工具，比如用细柳枝粘上蜂蜜，探进蚂蚁窝中取食蚂蚁；遇到外敌时，则可捡起地上的石块、土块或树上的果实等投掷过去，以此威吓对手。但总体来说，嚣的性情比较温顺，除非受到威胁，否则不会主动攻击其他动物。

山海经动物图鉴

禺门
×
禺形纲
×
灵长目
×
混世四禺总科
×
通臂猿属

朱厌

[zhū]

[yàn]

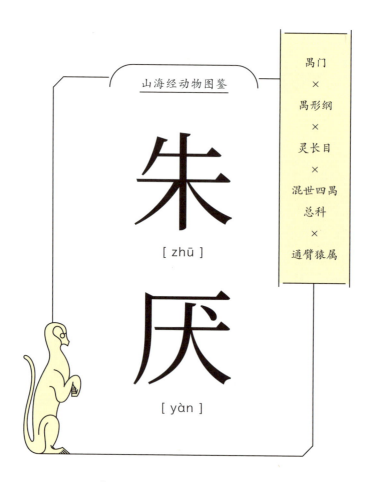

又西四百里，曰小次之山，其上多白玉，其下多赤铜。有兽焉，其状如猿，而白首赤足，名曰朱厌，见则大兵。

——《山海经·西山经》

形态特征

朱厌是白猿的一个分支，属于禺门。朱厌的面部特征与白猿十分相似，但是头比较圆，眼距较大，口裂也大，牙齿外翻，上下两对犬齿较长，尺寸与白猿类似。

在体格方面，朱厌相比白猿要小几圈，四肢较为纤细，肌肉不算发达，手臂长度不超过腿长。它们全身都覆盖灰白的毛发，只有面部和四足为裸露的红色皮肤，面部周围有一圈纯白的须发。朱厌的尾巴长度接近体长。

栖息环境

朱厌主要生活在小次山上的密林中，此地多产白玉和赤铜，多流水和池塘，水质碱性较强。

生活习性

朱厌为群居动物，以家族为单位生活。一家之主是最强壮的成年雄性，负责挑选适合的居住区域、分配食物、驱逐入侵者等工作。其他家族成员则进行分工合作，雄性会组成巡逻队，保护领地；雌性则负责采集果实，并抚养幼儿。

朱厌主要食素，能很好地消化植物纤维，有时也会捕杀动物，如禽鸟、鼠类、蛇等等。很多时候，它们捕杀不是为了食用，而是单纯取乐。

朱厌生性好斗，尤其在雄性之间，不论是否处在争夺首领宝座的时期，它们都会大打出手，往往从一对一的决斗模式，陷入多个体混战的斗殴模式，最终必须由首领出面叫停。不同的朱厌家族之间，也常常出现打斗。因为报复心很重，一旦与另一个家族出现争端，它们便会纠集成小队，一部分引开或牵制敌方的雄性，另一部分去抢夺敌方的幼崽。

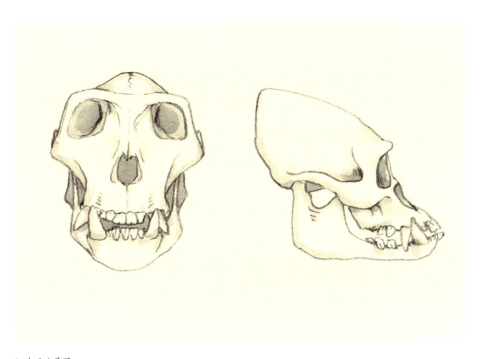

| 朱厌头骨图

绘者简介

金路，毕业于中央美术学院雕塑系，传统文化业余爱好者。

编者简介

兰心仪，浙江衢州人，中央民族大学考古专业硕士，研究方向为商周考古。自小对中国神话故事和民间传说有浓厚兴趣，爱好阅读并喜于探究神话和古物之间的联系。

选题策划：耕雲 FANTASEE　张国辰　陈胜伟